JN006420

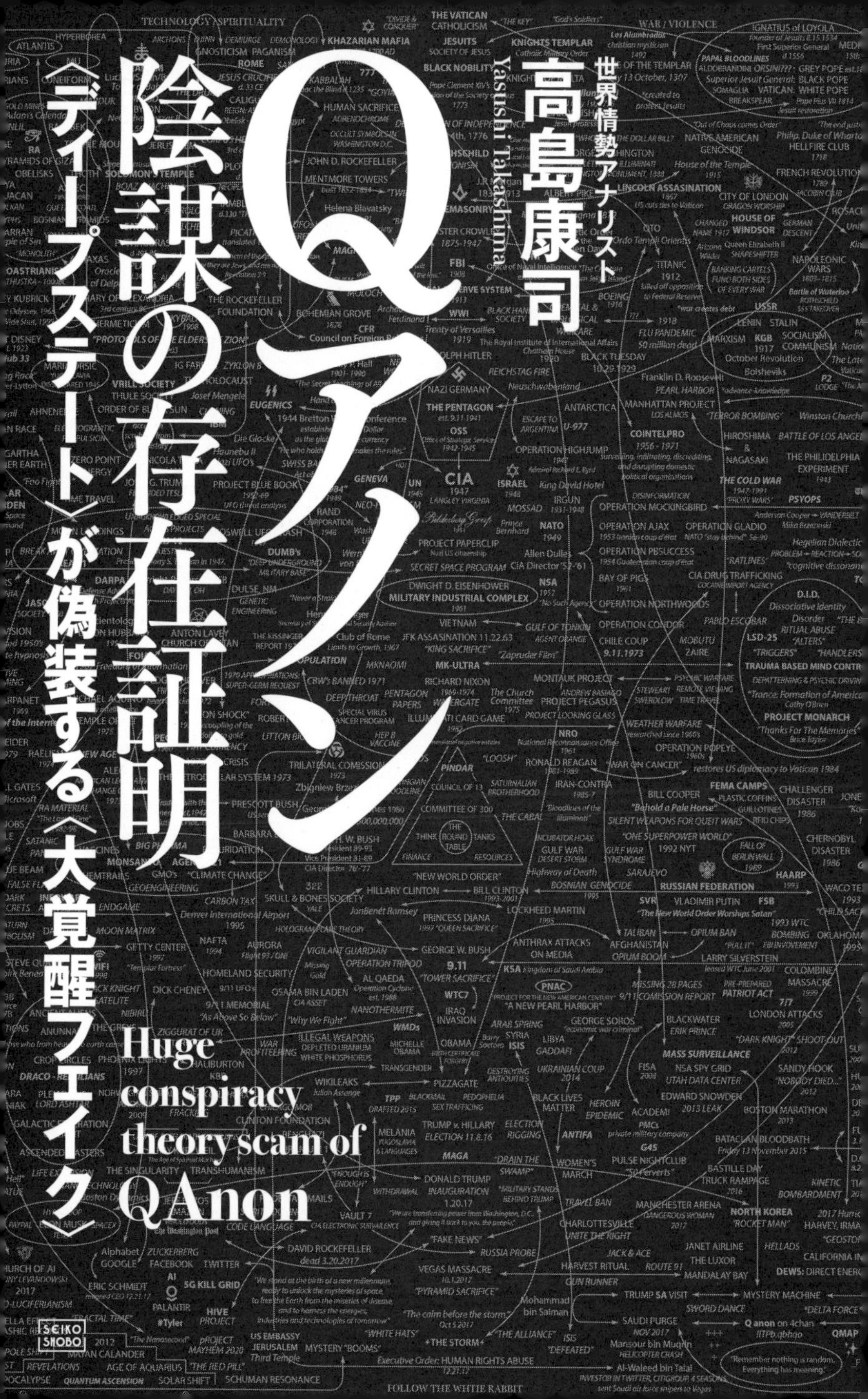

Qアノン
陰謀の存在証明
〈ディープステート〉が偽装する〈大覚醒フェイク〉
世界情勢アナリスト
高島康司
Yasushi Takashima
Huge conspiracy theory scam of QAnon
SEIKO SHOBO

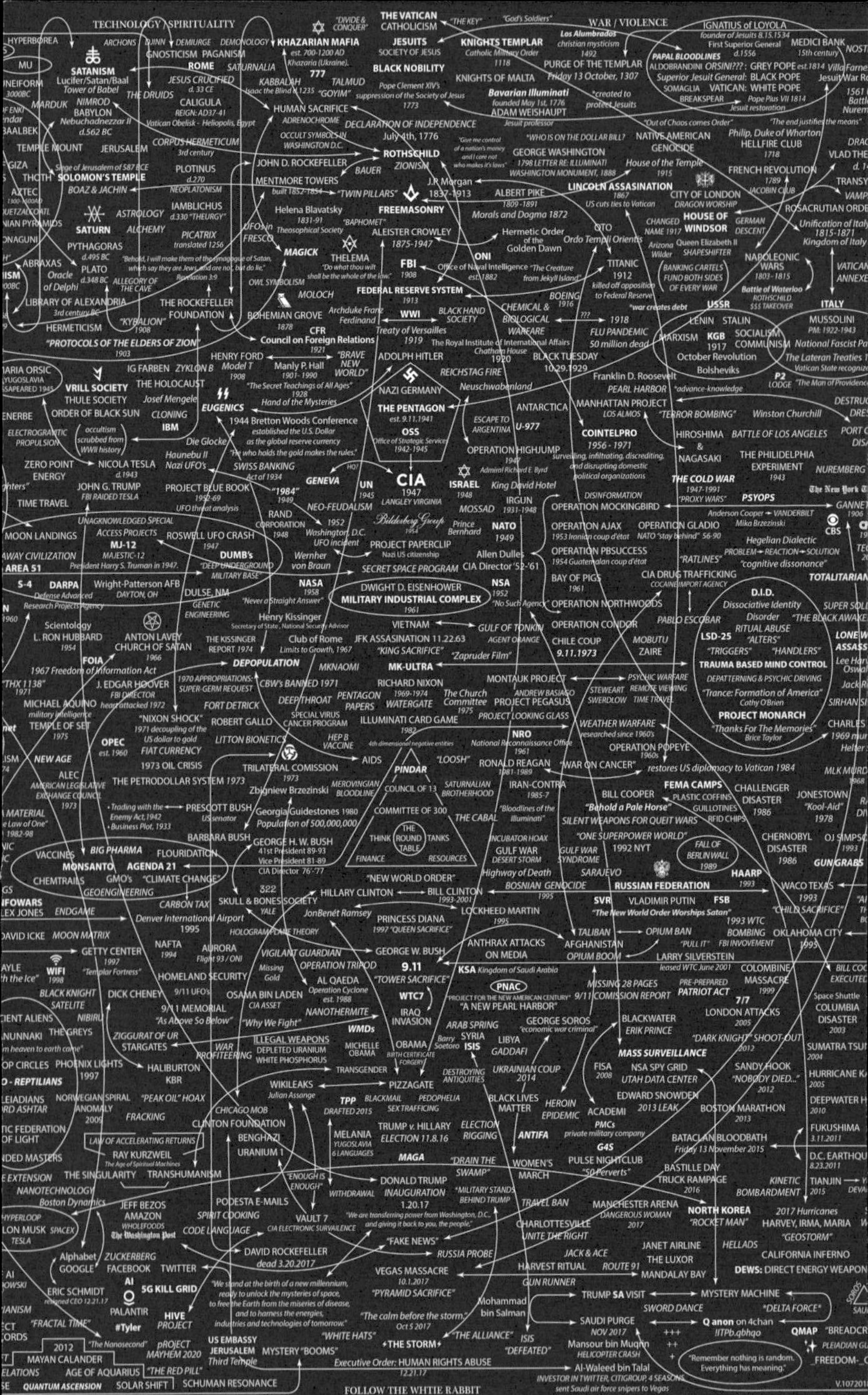
TECHNOLOGY / SPIRITUALITY
WAR / VIOLENCE
HYPERBOREA
ARCHONS
DJINN
DEMIURGE
DEMONOLOGY
KHAZARIAN MAFIA
est. 700-1200 AD
Khazaria (Ukraine).
"DIVIDE & CONQUER"
THE VATICAN
CATHOLICISM
"THE KEY"
"God's Soldiers"
IGNATIUS of LOYOLA
founder of Jesuits 8.15.1534
First Superior General
d.1556
MEDICI BANK
15th century
MU
SATANISM
Lucifer/Satan/Baal
Tower of Babel
GNOSTICISM PAGANISM
ROME
SATURNALIA
JESUS CRUCIFIED
d. 33 CE
THE DRUIDS
777
KABBALAH
Isaac the Blind d.1235
TALMUD
"GOYIM"
JESUITS
SOCIETY OF JESUS
BLACK NOBILITY
Pope Clement XIV's suppression of the Society of Jesus
1773
KNIGHTS TEMPLAR
Catholic Military Order
1118
KNIGHTS OF MALTA
Los Alumbrados
christian mysticism
1492
PURGE OF THE TEMPLAR
Friday 13 October, 1307
PAPAL BLOODLINES
ALDOBRANDINI ORSINI???: GREY POPE est.1814
Superior Jesuit General: BLACK POPE
SOMAGLIA VATICAN: WHITE POPE
BREAKSPEAR Pope Pius VII 1814
Jesuit restoration
Villa Farnese
Jesuit War Room
MARDUK
NIMROD
BABYLON
Nebuchadnezzar II
d.562 BC
CALIGULA
REIGN: AD37-41
Vatican Obelisk - Heliopolis, Egypt
HUMAN SACRIFICE
ADRENOCHROME
OCCULT SYMBOLS IN WASHINGTON D.C.
Bavarian Illuminati
founded May 1st, 1776
ADAM WEISHAUPT
Jesuit professor
"created to protect Jesuits"
"Out of Chaos comes Order"
"The end justifies the means"
DECLARATION OF INDEPENDENCE
July 4th, 1776
BAALBEK
TEMPLE MOUNT
JERUSALEM
CORPUS HERMETICUM
3rd century
ROTHSCHILD
ZIONISM
"Give me control of a nation's money and I care not who makes it's laws"
"WHO IS ON THE DOLLAR BILL?"
GEORGE WASHINGTON
1798 LETTER RE: ILLUMINATI
WASHINGTON MONUMENT, 1888
NATIVE AMERICAN GENOCIDE
Philip, Duke of Wharton
HELLFIRE CLUB
1718
GIZA
THOTH
Siege of Jerusalem of 587 BCE
SOLOMON'S TEMPLE
BOAZ & JACHIN
PLOTINUS
d.270
NEOPLATONISM
JOHN D. ROCKEFELLER
BAUER
MENTMORE TOWERS
built 1852-1854
"TWIN PILLARS"
J.P. Morgan
1837-1913
House of the Temple
1915
FRENCH REVOLUTION
1789
JACOBIN CLUB
VLAD THE
AZTEC
IAMBLICHUS
d.330 "THEURGY"
ASTROLOGY
SATURN
ALCHEMY
PICATRIX
translated 1256
UFOs in FRESCO
Helena Blavatsky
1831-91
Theosophical Society
"BAPHOMET"
FREEMASONRY
ALEISTER CROWLEY
1875-1947
ALBERT PIKE
1809-1891
Morals and Dogma 1872
LINCOLN ASSASINATION
1867
US cuts ties to Vatican
CITY OF LONDON
DRAGON WORSHIP
ROSACRUTIAN ORDER
Unification of Italy
1815-1871
Kingdom of Italy
PYTHAGORAS
d.495 BC
PLATO
d.348 BC
ABRAXAS
Oracle of Delphi
ALLEGORY OF THE CAVE
"Behold, I will make them of the synagogue of Satan, which say they are Jews, and are not, but do lie."
Revelation 3:9
MAGICK
THELEMA
"Do what thou wilt shall be the whole of the law."
Hermetic Order of the Golden Dawn
OTO
Ordo Templi Orientis
CHANGED NAME 1917
HOUSE OF WINDSOR
GERMAN DESCENT
Arizona Wilder
Queen Elizabeth II
SHAPESHIFTER
NAPOLEONIC WARS
1803-1815
Battle of Waterloo
ROTHSCHILD
$$$ TAKEOVER
VATICAN ANNEXED
FBI
1908
ONI
Office of Naval Intelligence
est. 1882
"The Creature from Jekyll Island"
TITANIC
1912
killed off opposition to Federal Reserve
BANKING CARTELS
FUND BOTH SIDES
OF EVERY WAR
OWL SYMBOLISM
MOLOCH
FEDERAL RESERVE SYSTEM
1913
BOEING
1916
"war creates debt"
USSR
ITALY
LIBRARY OF ALEXANDRIA
3rd century BC
THE ROCKEFELLER FOUNDATION
"KYBALION"
1908
HERMETICISM
BOHEMIAN GROVE
1878
Archduke Franz Ferdinand
WWI
Treaty of Versailles
1919
BLACK HAND SOCIETY
CHEMICAL & BIOLOGICAL WARFARE
1918
FLU PANDEMIC
50 million dead
LENIN STALIN
MARXISM KGB
1917
October Revolution
Bolsheviks
SOCIALISM
COMMUNISM
MUSSOLINI
PM: 1922-1943
National Fascist Party
The Lateran Treaties
Vatican State recognized
"PROTOCOLS OF THE ELDERS OF ZION"
1903
CFR
Council on Foreign Relations
1921
The Royal Institute of International Affairs
Chatham House
1920
BLACK TUESDAY
10.29.1929
MARIA ORSIC
YUGOSLAVIA
VRILL SOCIETY
THULE SOCIETY
ORDER OF BLACK SUN
HENRY FORD
Model T
1908
IG FARBEN
ZYKLON B
THE HOLOCAUST
Josef Mengele
CLONING
Manly P. Hall
1901-1990
"The Secret Teachings of All Ages"
1928
Hand of the Mysteries
"BRAVE NEW WORLD"
ADOLPH HITLER
NAZI GERMANY
REICHSTAG FIRE
Neuschwabenland
Franklin D. Roosevelt
PEARL HARBOR
"advance-knowledge"
P2 LODGE
"The Man of Providence"
EUGENICS
THE PENTAGON
est. 9.11.1941
OSS
Office of Strategic Services
1942-1945
ANTARCTICA
ESCAPE TO ARGENTINA
U-977
MANHATTAN PROJECT
LOS ALMOS
"TERROR BOMBING"
Winston Churchill
ELECTROGRAVITIC PROPULSION
occultism scrubbed from WWII history
IBM
1944 Bretton Woods Conference
established the U.S. Dollar as the global reserve currency
"He who holds the gold makes the rules."
Die Glocke
Haunebu II
Nazi UFO's
COINTELPRO
1956 - 1971
surveilling, infiltrating, discrediting, and disrupting domestic political organizations
HIROSHIMA & NAGASAKI
BATTLE OF LOS ANGELES
THE PHILADELPHIA EXPERIMENT
1943
OPERATION HIGHJUMP
1947
Admiral Richard E. Byrd
ZERO POINT ENERGY
NICOLA TESLA
d.1943
SWISS BANKING
Act of 1934
GENEVA
UN
1945
CIA
1947
LANGLEY VIRGINIA
ISRAEL
1948
King David Hotel
THE COLD WAR
1947-1991
"PROXY WARS"
PSYOPS
NUREMBERG
The New York Times
JOHN G. TRUMP
FBI RAIDED TESLA
PROJECT BLUE BOOK
1952-69
UFO threat analysis
"1984"
1949
NEO-FEUDALISM
MOSSAD
IRGUN
1931-1948
DISINFORMATION
OPERATION MOCKINGBIRD
Anderson Cooper — VANDERBILT
Mika Brzezinski
TIME TRAVEL
UNAGKNOWLEDGED SPECIAL ACCESS PROJECTS
RAND CORPORATION
1948
1952
Washington, D.C.
UFO incident
Bilderberg Group
1954
Prince Bernhard
NATO
1949
OPERATION AJAX
1953 Iranian coup d'état
OPERATION GLADIO
NATO "stay behind" 56-90
CBS
Hegelian Dialectic
PROBLEM — REACTION — SOLUTION
"cognitive dissonance"
MOON LANDINGS
ROSWELL UFO CRASH
1947
MJ-12
MAJESTIC-12
President Harry S. Truman in 1947.
DUMB's
"DEEP UNDERGROUND MILITARY BASE"
Wernher von Braun
PROJECT PAPERCLIP
Nazi US citizenship
SECRET SPACE PROGRAM
Allen Dulles
CIA Director '52-'61
OPERATION PBSUCCESS
1954 Guatemalan coup d'état
"RATLINES"
TOTALITARIAN
AREA 51
S-4
DARPA
Defense Advanced Research Projects Agency
Wright-Patterson AFB
DAYTON, OH
DULSE, NM
GENETIC ENGINEERING
NASA
1958
"Never a Straight Answer"
DWIGHT D. EISENHOWER
MILITARY INDUSTRIAL COMPLEX
1961
NSA
1952
"No Such Agency"
BAY OF PIGS
1961
CIA DRUG TRAFFICKING
COCAINE IMPORT AGENCY
OPERATION NORTHWOODS
D.I.D.
Dissociative Identity Disorder
RITUAL ABUSE
"ALTERS"
LSD-25
"TRIGGERS"
"HANDLERS"
TRAUMA BASED MIND CONTROL
DEPATTERNING & PSYCHIC DRIVING
"Trance: Formation of America"
Cathy O'Brien
PROJECT MONARCH
"Thanks For The Memories"
Brice Taylor
SUPER SOLDIER
"THE BLACK AWAKENING"
Scientology
L. RON HUBBARD
1954
ANTON LAVEY
CHURCH OF SATAN
1966
Henry Kissinger
Secretary of State, National Security Advisor
THE KISSINGER REPORT 1974
Club of Rome
Limits to Growth, 1967
VIETNAM
GULF OF TONKIN
AGENT ORANGE
JFK ASSASINATION 11.22.63
"KING SACRIFICE"
"Zapruder Film"
OPERATION CONDOR
CHILE COUP
9.11.1973
MOBUTU
ZAIRE
PABLO ESCOBAR
FOIA
1967 Freedom of Information Act
DEPOPULATION
MKNAOMI
MK-ULTRA
"THX 1138"
1971
J. EDGAR HOOVER
FBI DIRECTOR
heart attacked 1972
1970 APPROPRIATIONS: SUPER-GERM REQUEST
CBW's BANNED 1971
RICHARD NIXON
1969-1974
WATERGATE
DEEP THROAT
PENTAGON PAPERS
The Church Committee
1975
MONTAUK PROJECT
ANDREW BASIAGO
PROJECT PEGASUS
PSYCHIC WARFARE
REMOTE VIEWING
STEWEART SWERDLOW
TIME TRAVEL
MICHAEL AQUINO
military intelligence
TEMPLE OF SET
1975
FORT DETRICK
SPECIAL VIRUS CANCER PROGRAM
"NIXON SHOCK"
1971 decoupling of the US dollar to gold
ROBERT GALLO
ILLUMINATI CARD GAME
1982
PROJECT LOOKING GLASS
WEATHER WARFARE
researched since 1960's
OPEC
est. 1960
FIAT CURRENCY
LITTON BIONETICS
HEP B VACCINE
4th dimensional negative entities
NRO
National Reconnaissance Office
1961
OPERATION POPEYE
1960s
NEW AGE
1973 OIL CRISIS
TRILATERAL COMISSION
1973
AIDS
"LOOSH"
RONALD REAGAN
1981-1989
"WAR ON CANCER"
restores US diplomacy to Vatican 1984
ALEC
AMERICAN LEGISLATIVE EXCHANGE COUNCIL
1973
THE PETRODOLLAR SYSTEM 1973
Zbigniew Brzezinski
PINDAR
MEROVINGIAN BLOODLINE
COUNCIL OF 13
SATURNALIAN BROTHERHOOD
IRAN-CONTRA
1985-7
FEMA CAMPS
PLASTIC COFFINS
GUILLOTINES
RFID CHIPS
CHALLENGER DISASTER
1986
JONESTOWN
"Kool-Aid"
1978
Trading with the Enemy Act, 1942
Business Plot, 1933
PRESCOTT BUSH
US senator
Georgia Guidestones 1980
Population of 500,000,000
COMMITTEE OF 300
THE CABAL
"Bloodlines of the Illuminati"
BILL COOPER
"Behold a Pale Horse"
SILENT WEAPONS FOR QUEIT WARS
THINK TANKS
THE ROUND TABLE
FINANCE
RESOURCES
BARBARA BUSH
GEORGE H. W. BUSH
41st President 89-93
Vice President 81-89
CIA Director 76'-77
INCUBATOR HOAX
GULF WAR
DESERT STORM
GULF WAR SYNDROME
"ONE SUPERPOWER WORLD"
1992 NYT
FALL OF BERLIN WALL
1989
CHERNOBYL DISASTER
1986
VACCINES
BIG PHARMA
FLOURIDATION
MONSANTO
AGENDA 21
CHEMTRAILS
GMO's
"CLIMATE CHANGE"
GEOENGINEERING
"NEW WORLD ORDER"
Highway of Death
SARAJEVO
BOSNIAN GENOCIDE
1995
HAARP
1993
RUSSIAN FEDERATION
GUN GRABS
WACO TEXAS
1993
"CHILD SACRIFICE"
INFOWARS
ALEX JONES
ENDGAME
CARBON TAX
322
SKULL & BONES SOCIETY
YALE
HILLARY CLINTON
BILL CLINTON
1993-2001
SVR
VLADIMIR PUTIN
FSB
"The New World Order Worships Satan"
Denver International Airport
1995
JonBenét Ramsey
PRINCESS DIANA
1997 "QUEEN SACRIFICE"
LOCKHEED MARTIN
1995
1993 WTC BOMBING
OKLAHOMA CITY
1995
DAVID ICKE
MOON MATRIX
HOLOGRAM PLANE THEORY
NAFTA
1994
AURORA
Flight 93 / ONI
GETTY CENTER
1997
"Templar Fortress"
ANTHRAX ATTACKS
ON MEDIA
TALIBAN
AFGHANISTAN
OPIUM BOOM
OPIUM BAN
"PULL IT"
FBI INVOVEMENT
LARRY SILVERSTEIN
leased WTC June 2001
VIGILANT GUARDIAN
OPERATION TRIPOD
GEORGE W. BUSH
9.11
"TOWER SACRIFICE"
KSA
Kingdom of Saudi Arabia
WIFI
1998
HOMELAND SECURITY
Missing Gold
AL QAEDA
Operation Cyclone
est. 1988
MISSING 28 PAGES
9/11 COMISSION REPORT
PRE-PREPARED PATRIOT ACT
COLOMBINE MASSACRE
1999
BLACK KNIGHT SATELITE
DICK CHENEY
9/11 UFO's
OSAMA BIN LADEN
CIA ASSET
WTC7
PNAC
"PROJECT FOR THE NEW AMERICAN CENTURY"
"A NEW PEARL HARBOR"
7/7
LONDON ATTACKS
2005
Space Shuttle COLUMBIA DISASTER
2003
ANCIENT ALIENS
NIBIRU
9/11 MEMORIAL
"As Above So Below"
"Why We Fight"
NANOTHERMITE
WMDs
IRAQ INVASION
ARAB SPRING
GEORGE SOROS
"economic war criminal"
BLACKWATER
ERIK PRINCE
"DARK KNIGHT" SHOOT-OUT
2012
ANUNNAKI
THE GREYS
ZIGGURAT OF UR
STARGATES
ILLEGAL WEAPONS
DEPLETED URANIUM
WHITE PHOSPHORUS
WAR PROFITEERING
MICHELLE OBAMA
OBAMA
BIRTH CERTIFICATE FORGERY
Barry Soetoro
SYRIA
ISIS
LIBYA
GADDAFI
MASS SURVEILLANCE
SUMATRA TSUNAMI
2004
CROP CIRCLES
PHOENIX LIGHTS
1997
HALIBURTON
KBR
TRANSGENDER
DESTROYING ANTIQUITIES
UKRAINIAN COUP
2014
FISA
2008
NSA SPY GRID
UTAH DATA CENTER
SANDY HOOK
"NOBODY DIED..."
2012
HURRICANE KATRINA
2005
REPTILIANS
WIKILEAKS
Julian Assange
PIZZAGATE
TPP
DRAFTED 2015
BLACKMAIL
PEDOPHELIA
SEX TRAFFICING
BLACK LIVES MATTER
HEROIN EPIDEMIC
ACADEMI
EDWARD SNOWDEN
2013 LEAK
BOSTON MARATHON
2013
DEEPWATER HORIZON
2010
PLEIADIANS
NORWEGIAN SPIRAL ANOMALY
2009
"PEAK OIL" HOAX
FRACKING
CHICAGO MOB
CLINTON FOUNDATION
BENGHAZI
URANIUM 1
MELANIA
YUGOSLAVIA
6 LANGUAGES
TRUMP v. HILLARY
ELECTION 11.8.16
ELECTION RIGGING
ANTIFA
PMCs
private military company
G4S
FUKUSHIMA
3.11.2011
LAW OF ACCELERATING RETURNS
RAY KURZWEIL
The Age of Spiritual Machines
MAGA
"DRAIN THE SWAMP"
WOMEN'S MARCH
PULSE NIGHTCLUB
"50 Perverts"
BATACLAN BLOODBATH
Friday 13 November 2015
BASTILLE DAY TRUCK RAMPAGE
2016
D.C. EARTHQUAKE
8.23.2011
THE SINGULARITY
TRANSHUMANISM
NANOTECHNOLOGY
Boston Dynamics
"ENOUGH IS ENOUGH"
WITHDRAWAL
DONALD TRUMP INAUGURATION
1.20.17
"We are transferring power from Washington, D.C. and giving it back to you, the people."
"MILITARY STANDS BEHIND TRUMP"
TRAVEL BAN
MANCHESTER ARENA
DANGEROUS WOMAN
2017
KINETIC BOMBARDMENT
TIANJIN
2015
NORTH KOREA
"ROCKET MAN"
2017 Hurricanes
HARVEY, IRMA, MARIA
"GEOSTORM"
HYPERLOOP
ELON MUSK
SPACEX
TESLA
JEFF BEZOS
AMAZON
WHOLEFOODS
The Washington Post
PODESTA E-MAILS
SPIRIT COOKING
CODE LANGUAGE
VAULT 7
CIA ELECTRONIC SURVAILENCE
CHARLOTTESVILLE
UNITE THE RIGHT
JANET AIRLINE
THE LUXOR
MANDALAY BAY
HELLADS
CALIFORNIA INFERNO
DEWS: DIRECT ENERGY WEAPONS
Alphabet
GOOGLE
ZUCKERBERG
FACEBOOK
TWITTER
DAVID ROCKEFELLER
dead 3.20.2017
"FAKE NEWS"
RUSSIA PROBE
VEGAS MASSACRE
10.1.2017
"PYRAMID SACRIFICE"
JACK & ACE
HARVEST RITUAL
ROUTE 91
GUN RUNNER
AI
ERIC SCHMIDT
resigned CEO 12.21.17
5G KILL GRID
PALANTIR
HIVE PROJECT
#Tyler
"We stand at the birth of a new millennium, ready to unlock the mysteries of space, to free the Earth from the miseries of disease, and to harness the energies, industries and technologies of tomorrow."
"The calm before the storm,"
Oct 5 2017
Mohammad bin Salman
TRUMP SA VISIT
MYSTERY MACHINE
SWORD DANCE
"DELTA FORCE"
SAUDI PURGE
NOV 2017
Q anon on 4chan
!ITPb.qbhqo
QMAP
"FRACTAL TIME"
"WHITE HATS"
"THE ALLIANCE"
ISIS "DEFEATED"
Mansour bin Muqrin
HELICOPTER CRASH
"BREADCRUMBS"
PLEIADIAN GLYPH
2012
MAYAN CALANDER
AGE OF AQUARIUS
QUANTUM ASCENSION
SOLAR SHIFT
"The Nanosecond"
pROJECT MAYHEM 2020
"THE RED PILL"
SCHUMAN RESONANCE
US EMBASSY JERUSALEM
Third Temple
MYSTERY "BOOMS"
THE STORM
Executive Order: HUMAN RIGHTS ABUSE
12.21.17
Al-Waleed bin Talal
INVESTOR IN TWITTER, CITIGROUP, 4 SEASONS
sent Saudi air force snipers to Vegas
"Remember nothing is random. Everything has meaning."
FREEDOM
FOLLOW THE WHITE RABBIT

Qアノン　陰謀の存在証明　◉　もくじ

序章 ◉ 資本主義の「グレート・リセット」とQアノンの登場

第一章 ◉ Qアノン現象と「大覚醒」運動

第二章◉全米が熱狂する「秘密宇宙プログラム」

第三章◉暴露されたグローバルエリートの「小児性愛嗜好（ペドフィリア）」

第四章◉ バチカンの秘められた闇とQアノン

第五章◉ Qアノン支持者がざわめく「UFOとエイリアン情報」

第六章◉「影の支配者ディープステート」の素顔を追うQアノン

第七章◉Qアノンと「大覚醒」運動が描く未来図

装幀◉フロッグキングスタジオ
本文DTP◉ホープカンパニー
編集協力◉五目舎（西塚裕一）
本文写真◉ウィキコモンズ

序章◉資本主義の「グレート・リセット」とQアノンの登場

「ザ・グレート・リセット」の真の目的とは

二〇二〇年六月三日、世界経済フォーラムが毎年開催する年次総会「ダボス会議」の創設者であり現会長のスイス人経済学者クラウス・シュワブ教授は、二〇二一年一月に行なわれるダボス会議の総合的な議題(アジェンダ)を発表した。

それは「ザ・グレート・リセット」と呼ばれるもので、グローバル資本主義体制を根本から刷新し、持続可能なものにするという提唱だった。

プランの具体化に向けて、二〇二一年は通常のスイス・ダボスでの会議のほか、世界のあらゆる分野の若いリーダーをオンラインで繋ぐ会議も併設し、〝ツイン会議〟として開催するということだ。

グレート・リセットの背景にあるのは、もちろん新型コロナウイルスの世界的な感染爆発(パンデミック)である。アメリカや欧州各国の経済状況は悲惨だ。特にアメリカは二〇二〇年第2四半期のGDPが実質マイナス三二・九%と統計史上最悪の数字で、二〇年六月でも失業率は一一・一%と高止まりし、一七七五万人が失業している状態だ。

シュワブ会長は、新型コロナウイルスのパンデミックが引き起こした極端な経済停滞は、グローバル資本主義が生み出した社会矛盾を拡大させ、資本主義の持続可能性を脅かす状況にな

「ザ・グレート・リセット」を提唱する
「ダボス会議」の創設者、クラウス・シュワブ教授

実際、新型コロナウイルスのパンデミックによる欧米諸国の社会不安はますます高まっており、もはや制御(コントロール)できない状態になりつつあるように見える。

そしてこうした不安に乗じ、実はエリート支配層がグレート・リセットを実現するために社会的対立を煽(あお)っているとするならば、その仕掛けの中心にいるのが本書のテーマである「Qアノン」と「大覚醒」の運動なのだ。

ジョージ・フロイド氏の死が世界を動かした

アメリカ・ミネソタ州に端を発した人種差別に対する抗議デモは瞬く間に全米に拡大し、欧米を中心に全世界に拡散した。「西欧の自死」という言葉さえ現実味を帯びるような状況になっている。

二〇二〇年六月八日時点でのウォール・ストリート・ジャーナル紙の調査によると、全米の有権者の八割の行動が制御不能状態になっている。抗議運動が拡大するイギリスやフランスでも、「内乱」という表現が主要メディアの報道で目立つようになってきた。

二〇二〇年五月二五日のことだ。アメリカ中西部ミネソタ州最大の都市ミネアポリスで、四六歳の黒人男性ジョージ・フロイド氏が殺害された。偽造二〇ドル札を使おうとしたとして警察官デレク・ショービンがフロイド氏の首を約九分間膝で押さえ込み、窒息死させたのだ。最期の言葉は「息が出来ない(I can't breaze(アイ キャント ブリーズ))」であった。窒息死させられた模様を捉えた生々(なまなま)

しい動画は広く拡散し、観た者に強い怒りを呼び起こした。

翌二六日、フロイド氏の死への抗議が始まると、人種差別や警察官の暴力に対する抗議デモとして全米五〇州約一四〇都市に飛び火し、暴徒化した一部のデモ参加者による略奪や放火が相次いだ。

こうした騒乱状況を受けてトランプ大統領は連邦軍を導入する可能性を示唆し、首都ワシントン（コロンビア特別区）に一六〇〇名のアメリカ陸軍部隊を派遣、既にその時点で二三州と首都で州兵が動員されていたが、現役の軍部隊が展開されたのは初めてだった。

また、連日暴動が発生したニューヨーク市では、六月一日深夜から二日朝まで外出を禁止すると発表。しかし翌一日夜にも略奪が発生したため、その後、二日夜も開始時間を早めて外出禁止にするとした。

抗議運動の波はアメリカにとどまらず、瞬く間に世界的に拡散していった。フロイド氏の死は、新型コロナウイルスの感染爆発（パンデミック）による都市封鎖（ロックダウン）の影響で経済的に困窮している多くの人々の感情的な象徴となり、イギリス、フランス、ドイツ、イタリア、ポーランド、デンマーク、アイルランド、そしてカナダ、オーストラリア、ニュージーランド、さらにはブラジル、メキシコ、シリアなど、世界各国で抗議デモが行なわれた。

抗議運動の二つのスローガンは「黒人の命は大切だ（Black（ブラック） Lives（ライブズ） Matter（マター））」と「息が出来ない（I can't breaze）」だが、特に後者はまさに経済苦で窒息しそうになっている人々の苦しみを表現しており、またマスクの強要で息が出来ない日常とも重なる。そして「黒人の命は大切だ」とは、自分たちの命も大切だという強い訴えとなっているのだ。

こうしてジョージ・フロイド氏の死は世界的に共有されている苦難の象徴となり、抑圧されていたマグマが勢いよく噴き出る噴火口のようなものになったのである。この運動は経済的苦難が続く限り、世界的にさらに拡大していくはずだ。

●暴動を煽るトランプのツイート

一方、手がつけられないほど抗議デモが激しくなっているアメリカ国内では、トランプ大統領はひたすら火に油を注いでいるように見える。

こうした混乱に際して、一般的には大統領は広く国民に連帯を訴え、デモのきっかけとなった犠牲者の死を悼(いた)むと同時に、警察官による黒人差別を解消するような策を打ち出すのが常套手段だが、トランプが発信するツイートはまったく正反対のものだった。以下、トランプのツイート例である。

「上院議員のトム・コットンは『暴動を警察が抑えられないなら軍を投入せよ。アンティファ〔註：反ファシスト運動団体〕と陸軍第一〇一空挺師団とどっちが強いか勝負だ』と語る。第一〇一空挺師団はノルマンディー上陸作戦やイラク戦争で投入。彼は元第一〇一空挺師団でイラク戦争で戦った」

「寝ぼけたジョー・バイデンらの連中は、実に極左で無政府主義者（暴動者）を刑務所から釈放しようとしてさらなることをする。ジョーはそれについて全く解っておらず、無知だ。しかし連中は大きな力となり、ジョーではなく、彼らが力を持つだろう！　彼らは税金を高くし、もっといろいろとするのだ」

「〝マスゴミ〟は力の限りを尽くして憎悪と無政府状態を駆り立てる。国民が、彼らが何をしようとしているのか、彼らがフェイクニュースであり、悪意を持った悪党だと判っている限り、〝偉大さ〟でこれを簡単に乗り越えることが出来るのだ！」

トランプのツイートは、フロイド氏の死を悼み問題の解消を約束するどころか、むしろ暴徒化した抗議デモを非難し、軍の投入を強く推奨するというものがほとんどだ。これでは国民の反感を買うのも当たり前であり、運動の過激化を煽るばかりである。

日本をはじめ各国の主要メディアは、こうしたトランプの対応を単に「現実を理解していない失言と失態」と報道している。だが、決してそうではない。トランプは意図的に行なっているのだ。そこには次期大統領選の勝利へ向けた冷徹な戦略があると見たほうがよい。

なぜフロイド氏の死を悼むこともなく、逆に人種差別に抗議する市民に敵愾心（てきがいしん）を燃やし、あえて抗議デモを煽ることが大統領選勝利の戦略となるのだろうか？　本来であれば、こうした行為は支持率を大きく下げ、大統領選の戦いを不利にするものだろう。

しかし、この逆説にはトランプの岩盤支持層の世界観が潜んでおり、日本ではあまり報道されることのないもう一つの抗議運動の基盤にもなっているのである。それは、トランプ支持者が全米で展開する経済活動の全面的再開を要求する抗議運動に現われている。

「Qアノン」フォロワーによる抗議運動

感染者が拡大しているミシガン州では三月二四日以来、学校や店舗の閉鎖、外出自粛の行動規制を含む行政命令が出されていた。

四月一五日には三〇〇〇人がランシング市の州政府庁舎前に集まり、抗議デモを行なった。都市封鎖（ロックダウン）による経済的損失を訴える者もいれば、憲法で保障されている基本的人権の擁護を主張する者もいた。デモは比較的平和裏に行なわれ暴力行為などはなかったものの、周辺の交通が遮断され、大規模な交通渋滞が発生した。

四月三〇日に二回目のデモが起きると、今度は自動小銃で武装した者を含む数百名のデモ隊が州政府庁舎に乱入し、ロックダウンの即時解除を求めて激しく抗議した。運動を組織したのは「自由のためのミシガン統一戦線（Michigan United for Liberty）」という極右団体だった。

ウイスコンシン州では四月二四日、数千名がマディソン市の州庁舎に集まり、ロックダウンの即時解除を要求。マサチューセッツ州でも四月半ばから抗議運動が続いていたが、五月四日に庁舎前に数百名が集結、「リバティー・ラリー」を開催した。

リバティー・ラリーは保守系のラジオ番組司会者の呼びかけで行なわれ、本書で詳述する「Qアノン」の支持者の旗も数多くあった。参加者はマスクの着用を拒否し、会場は多くの人で混雑した。

ペンシルバニア州でも四月二〇日に数百名が庁舎前に集合したが、運動を組織した団体の一つは、国民の武装蜂起権の擁護を主張する、ワクチン接種反対論者がリーダーだった。

すでに四月から断続的に抗議運動が巻き起こっていたカリフォルニア州では、多くの地域で運動が拡散。五月一日には三〇〇〇人がハッチントンビーチの閉鎖命令に抗議して集会を開催。またベントラ市では千人規模が集結し、カリフォルニアの閉鎖解除を要求した。

その他、ニューヨーク、ワシントン、オレゴン、ユタ、フロリダ、ミシシッピー、テキサス、インディアナ、ミネソタ、ノースダコタ等々、二〇州以上で抗議運動が勃発している。

これらの行動規制反対運動は、ロックダウンで経済的な被害を被った人々を多く惹きつけているが、運動の中心となっている組織に所属する人々は、単に経済的な動機から参加しているわけではない。中核にいるのは、ワクチン接種反対運動の主宰者やリバタリアンと呼ばれる無政府主義者、白人至上主義者、そして何よりも、本書で取り上げる「Qアノン」の閲覧者(フォロワー)たちなのである。

◉――トランプの岩盤支持層の世界観

トランプの熱烈な支持層の代表者にアレックス・ジョーンズがいる。著名な陰謀論者であり、ラジオのパーソナリティーを務め、映画製作も手がけているが、自身が主宰するサイト『インフォウォーズ・ドットコム（Infowars.com）』における彼の主張を要約すると次のようになる。

「アメリカを国際資本に売り渡し、ほんの一部のエリートが支配する社会主義国家にすることを計画しているグローバリスト（ロスチャイルド家、ソロス家など）は、民主党と情報機関の『ディープステート』を手先に使って権力の掌握を狙っている。

彼らは、インフルエンザ程度の病気に過ぎない新型コロナウイルスの蔓延の危険性をことさら事大に喧伝（けんでん）し、ロックダウンを実施して国民の自由を奪った。新型コロナウイルスは〝フェイク〟である。さらにはジョージ・フロイドの死で盛り上がった黒人の抗議活動を扇動、破壊的な方向に誘導して、これを制御（コントロール）できないトランプの支持率を失墜させようとしている。そして次の大統領選挙では、グローバリストの手先の民主党を勝利させるつもりだ。

トランプこそが、グローバリストの策謀を砕き、アメリカを国民の手に取り戻すための『アメリカ第二革命』の真のリーダーだ。トランプを熱烈に応援して、真の革命を起こすべきだ」

こうした主張がトランプの岩盤支持層の代表的な世界観であり、このような世界観から見ると全米で拡大している抗議デモはグローバリストの民主党が権力を掌握するために仕掛けたものとなり、むしろデモを強圧的に取り締まってこそ「アメリカ第二革命」が完遂するということになる。

つまりデモの取り締まりを訴えるトランプのツイートは、岩盤支持層の世界観と見事に一致するのだ。トランプがツイートすればするほど岩盤支持層はトランプに結集し、トランプへの支持はいっそう強固なものとなる。

米国から欧州・日本へと拡大するQアノン信奉者

さて、先述のように全米で展開される抗議運動の中核には、トランプの岩盤支持層を形成するQアノンの閲覧者(フォロワー)の群れがいる。

Qアノンを簡単に紹介すれば、「インターネットの掲示板に政治的なメッセージを投稿する匿名の人物」のことである。詳細は次章に譲るが、Qアノンのメッセージはアメリカを中心に英語圏で広がり、今では日本でも多くの信奉者を集めるに至っている。

全米で拡大している抗議デモに関しては、権力の掌握を狙った民主党の策謀だとして、Qアノンは六月一日に次のような投稿をしている。一部を見てみよう。

【二〇二〇年六月一日：Qアノン投稿】

「全ての手段（軍隊）が動員されている。人々は手先として操られている　Q」

「君たちは今、アメリカ国民を対象にした巨大な虚偽情報のキャンペーンを目撃している。これはコーディネートされたものだ。情報戦、侵入対侵略、内乱、非正規戦争、民主党が権力を取り戻すための試み　Q」

「神とともに強くあれ　Q」

「何が起こっているのか分かったか　Q」

「これが起こっているのは民主党のブルーステートが中心だ。これらの州では知事が都市のロックダウンを実施し、地域経済は崩壊した。これらの知事はこれを利用し、社会主義者のテロリストを招き入れ、地域経済をさらに意図的に破壊しているのだ（F〇X（フォックス）ニュースのトランプ支持派議員のインタビューより）。これは見事な要約だ　Q」

「二〇一五年前後からだが、『ブラック・ライブズ・マター』の運動には、外部からやってきた白人の極左グループが侵入している。彼らは運動を暴力的に扇動し、破壊的な方向に導いていった。運動のリーダーたちは、みな彼らにコントロールされている（黒人の元活動家の証言）。これは見事な要約だ。黒人のコミュニティーは手先として使われている？民主党にようこそ。団結が平和をもたらす。団結こそ人間性だ　Q」

そして、抗議運動の拡大は新型コロナウイルス感染の第二波を引き起こすとして、抑制することを訴えたニューヨーク州知事アンドリュー・クオモの発言に対して、「Q」は次のように投稿した。

「暴動が『Covid（コビッド）-19』拡大の第二波を引き起こすという新しい物語（ナラティブ）の試みか？　第一波のコントロールを失いつつある？　メールによる投票、民主党の州による救済、経済と失業の悪化を利用して民主党が権力を再掌握する？　全ての手段が使われている。必要とあらば、どんな手段を使ってでも彼らは勝利しようとする　Q」

◉――トランプ派と反トランプ派の決定的断絶

全米に拡大した抗議運動に対して、これを大統領選に勝つために岩盤支持層の支持を固める好機と捉えたトランプは、抗議運動はグローバリストの手先である民主党が権力を掌握しようと仕掛けた策謀だと訴え、軍を動員した徹底的な取り締まりの必要性を強く主張した。連邦軍が動員される可能性すら示した。

だが、トランプがこうした施策を重ねれば当然のごとく抗議運動は過激化していく。するとトランプは取り締まりをさらに強化し、それがまた抗議運動を先鋭化させる悪循環に陥り、アメリカをいっそう分裂させていく。欧米を中心とした他の国々にも飛び火することだろう。

筆者は二〇一八年三月、『2020年にアメリカは分裂する』（ヴォイス刊）を上梓した。同書の冒頭「はじめに」には次のように記した。

「この本の結論を先取りしていうと、アメリカという国家は二〇二〇年代くらいには、南北戦争以来の大分裂の時期に入り、国家としての体をなさなくなる可能性がある。アメリカの分裂である。

分裂へとアメリカを引き込んでいる主要な力は、アメリカ人の集合的な感情の流れだ。それは、まさに表面には見えない深層海流のようであり、特定の地域や政治運動に限定されるものではない。ニューヨークのようなリベラルな大都市圏にも、荒廃したラストベルトの諸州にも、またウォール街の銀行で働く証券ブローカーにも、製造業の海外移転で職を失った労働者にも、地域や社会層に関係なく広く存在している感情の集合的な動きだ」

不幸なことに、現在のアメリカはまさにこうした状況にある。アメリカ分裂を主導する反トランプのリベラル派、そしてこれに敵対するトランプの岩盤支持層、両者の世界観はあまりに異なっている。双方の宥和はもはや不可能な水準といえるが、以下、両者の立場や見地の違いを列挙してみよう。

●反トランプのリベラル派は、トランプが白人至上主義者やネオナチ、リバタリアンやキリスト教原理主義者など、これまで表面に出てこないように管理・監督されていた反政府的な勢力を排除し、すさまじい混乱をアメリカにもたらす悪の張本人だと見なしている。対するトランプの岩盤支持層は、トランプこそが、アメリカを国民の手に取り戻す「アメリカ第二革命」の真の指導者と見る。

●反トランプのリベラル派が、国際関係とは、主権国家の集合体がアメリカ覇権の国際秩序をベースにし、それぞれが国益を最大化するために戦略的に関係する世界と見ているのに対し、トランプの岩盤支持層は、世界はロックフェラーやロスチャイルド、フリーメイソンのような主権国家を超えた力を持つ秘密結社の計画によって運営されていると考えている。

●反トランプのリベラル派は、アメリカはときとして機能不全に陥りながらも憲法の規定に従い、国民が選挙で選んだ政府、議会、司法によって政治の方向性が決定される民主主義国家であると理解する。しかしトランプの岩盤支持層は、「ディープステート」と呼ばれる政府の監督の及ばない情報機関や、国務省を中心とした「影の政府」、肥大化した「軍産複合体」など、政府を圧倒的に凌駕(りょうが)する力を有する機関によって大半の政策が決定されていると見ている。

●反トランプのリベラル派が、アメリカは自由を求めてやってきた人々の移民国家であり、言論の自由と宗教や人種の多様性を維持することこそ国是であると考えているのに対し、トランプの岩盤支持層は、アメリカの宗教的多様性はテロリストを生む源泉であり、基本的にアメリカは白人を中心としたユダヤ・キリスト教の価値観のもとに再編成されなければならないと考えている。

●反トランプのリベラル派が「地球温暖化はアメリカも責任の一端を担わなければならない全地球的な脅威であり、温暖化ガス抑制のパリ協定締結こそ重要」と見ているのに対し、トランプの岩盤支持層は「地球温暖化は実際には存在せず、太陽の活動周期から見ると地球は寒冷化に向かっており、パリ協定から早期に離脱すべきだ」と考えている。

●反トランプのリベラル派は「国防総省(ペンタゴン)が実施している国防計画は政府と議会の監督下にあり、政府の方針に従って運営されている」と理解しているが、トランプの岩盤支持層は「国防総省は国家予算を上回る使途不明金で運営される『影の政府』の一部であり、この組織は現代の科学技術よりも遥かに進んだテクノロジーを利用し、すでに遠い惑星の宇宙開発にさえ乗り出しており、地球外生物との接触(コンタクト)も日常的に行なわれている」と見ている。

これほど世界観が異なるとなれば、両者の間には架橋の余地はなく、断絶されているといっていいだろう。

両陣営の最も過激な層にはそれぞれに武装した集団が蝟集(いしゅう)している。同じ国家の国民同士でありながら、両者の間の憎しみが頂点に達したとき、いったい何が起きるのであろうか?

トランプ再選を支援するQアノンと「大覚醒」

先述したように、トランプはこの状況こそ次期大統領選に勝利するための絶好の機会と見ているようだ。

そもそもトランプは、アメリカ国民の広い支持層を基盤にして大統領になった人物ではない。グローバリゼーションで職を失って没落した労働者層や、キリスト教原理主義の福音派など、主流派（メインストリーム）のリベラルなアメリカとはおよそかけ離れた層の熱烈な支持を獲得し、「ワシントン政界の浄化」を掲げて大統領の座を手にしたのである。

前回二〇一六年の選挙では全米の総得票数はヒラリー・クリントンのほうが三〇〇万票も上回っていたが、全米五〇州に配分された選挙人の獲得数はトランプのほうが多く、アメリカ独自の選挙制度が幸いして大統領になった。

したがって、トランプはアメリカ国民に幅広く自分への支持を訴えることはしない。トランプに忠誠を誓う岩盤支持層に強く訴え、彼らの積極的な行動に期待しているのだ。

こうした岩盤支持層の中核となっているのが、全米に膨大な数のフォロワーを抱え、彼らの世界観を共有しながら情報を発している「Qアノン」であり、「大覚醒（だいかくせい）（Great Awakening（グレイト アウェイクニング））」と呼ばれる運動なのである。

そしてそれらは、ダボス会議が主張する壮大な「グレート・リセット」を実行するための下地を形成して社会不安を臨界点まで拡大し、社会主義に近い高度管理社会の体制実現へと向けて大きな一歩を踏み出すはずだ。

第一章◉ Qアノン現象と「大覚醒」運動

THE PENTAGON
est. 9.11.1941
OSS
Office of Strategic Services
1942-1945
1944 Bretton Woods Conference
established the U.S. Dollar
as the global reserve currency
"He who holds the gold makes the rules."
ESCAPE TO
ARGENTINA
U-977
OPERATION HIGHJUMP
1947
Admiral Richard E. Byrd
HQ?
GENEVA
UN
1945
CIA
1947
LANGLEY VIRGINIA
ISRAEL
1948
King David Hotel
MOSSAD
IRGUN
1931-1948
NEO-FEUDALISM
1952
Washington, D.C.
UFO incident
Bilderberg Group
1954
Prince
Bernhard
NATO
1949
PROJECT PAPERCLIP
Nazi US citizenship
Allen Dulles
CIA Director '52-'61
SECRET SPACE PROGRAM
DWIGHT D. EISENHOWER
MILITARY INDUSTRIAL COMPLEX
1961
NSA
1952
"No Such Agency"
VIETNAM
GULF OF TONKIN
AGENT ORANGE
JFK ASSASINATION 11.22.63
"KING SACRIFICE"
"Zapruder Film"
MKNAOMI
MK-ULTRA
MONTAUK PROJECT
ANDREW BASIAGO
PROJECT PEGASUS
RICHARD NIXON
1969-1974
WATERGATE
PENTAGON
PAPERS
The Church
Committee
1975
PROJECT LOOKING GLASS
ILLUMINATI CARD GAME
1982
HEP B
VACCINE
NRO
National Reconnaissance Office
1961
4th dimensional negative entities
AIDS
"LOOSH"
PINDAR
RONALD REAGAN
1981-1989
TRILATERAL COMISSION
1973
MEROVINGIAN
BLOODLINE
COUNCIL OF 13
SATURNALIAN
BROTHERHOOD
IRAN-CONTRA
1985-7
Zbigniew Brzezinski
Georgia Guidestones 1980
Population of 500,000,000
COMMITTEE OF 300
THE CABAL
"Bloodlines of the
Illuminati"
THINK
THE
ROUND
TABLE
TANKS
FINANCE
RESOURCES
INCUBATOR HOAX
GULF WAR
DESERT STORM
Highway of Death
GEORGE H. W. BUSH
41st President 89-93
Vice President 81-89
CIA Director 76'-'77
"NEW WORLD ORDER"
BOSNIAN GENOCIDE
1995
322
SKULL & BONES SOCIETY
YALE
HILLARY CLINTON
BILL CLINTON
1993-2001
JonBenét Ramsey
LOCKHEED MARTIN
1995
PRINCESS DIANA
1997 "QUEEN SACRIFICE"
HOLOGRAM PLANE THEORY
ANTHRAX ATTACKS
ON MEDIA
VIGILANT GUARDIAN
GEORGE W. BUSH
OPERATION TRIPOD
9.11
"TOWER SACRIFICE"
Missing
Gold
KSA Kingdom of Saudi Arabia
AL QAEDA
Operation Cyclone
est. 1988
OSAMA BIN LADEN
WTC7
PNAC
"PROJECT FOR THE NEW AMERICAN CENTURY"

●——こうして始まった「Qアノン」の投稿

二〇一八年七月三一日、アメリカ・フロリダ州タンパ市では、恒例となったトランプ大統領の支持者集会が開催されていた。高温多湿のフロリダのうだるような暑さにもかかわらず、数千の熱狂的なトランプ支持者が結集した。

トランプ支持者には外見的にすぐ判る共通した特徴がある。男性はがっしりとした肉体労働者タイプ、女性は実年齢よりもずっと老けて見えるスーパーのおばちゃんタイプであることだ。彼らはトランプカラーの赤に「トランプ（TRUMP）」と書かれたTシャツを着て、「MAKE AMERICA GREAT AGAIN（アメリカを再び偉大に）」や「WOMEN FOR TRUMP（トランプ支持の女性たち）」、「STANDS UP WITH TRUMP（トランプとともに起とう）」などの横断幕を掲げている。

二〇一六年の大統領選挙に勝利した後もリベラル層の国民に激しく憎まれているトランプは、二〇二〇年の次期選挙での勝利に向けて自身の支持層を固めるべく、ほぼ毎月全米で支持者集会を開催してきた。タンパ市のイベントもそうした集会の一つだった。

典型的なトランプ支持者が熱狂するなか、大音響のロック音楽で演出されたオープニングとともに、あたかもヒーローのごとくトランプが現われスピーチをする。二〇二〇年の選挙戦スローガン、「アメリカにプライドを取り戻す（Make America Proud Again）」の連呼と、自身の実施した政策を自画自賛するお決まりの内容だ。

しかしこの日は、いつもとは異なる光景であった。

「Q」のTシャツを着てプラカードを持った多数の人々が現われたのである。プラカードには「WWG1WGA」や「Storm」など、意味不明な文字が書かれていた。後にこれは「Where we go one we go all（一人が向かう方向に一丸となって進む）」と、「嵐のような革命」の意味であることが判った。

以来、「Q」のTシャツとプラカードを持った集団は、全米のトランプ支持者集会に現われるようになった。彼らはいったい何者なのだろうか？

謎の集団が集まる光景に驚いたアメリカの主要メディアは、これを好奇の目で報道し、日本でもテレビや新聞で広く報道された。

さらにネット通販のアマゾンでは、「Q」や「WWG1WGA」、そして「Storm」や「Great Awakening（大覚醒）」の標語をプリントしたTシャツやプラカード、さらにはマグカップや旗などの小物が数多く売られるようになり、「Q」の解説書が書籍部門の総合売上げランキング二位を記録し、ベストセラーとなった。

「Q」と何のことだろうか？

白人至上主義者のような極端なイデオロギーの信奉者の集まりだろうか？ それとも新しい

カルト宗教の集団なのだろうか？

そうではない。「Q」は組織の名称ではないのである。「Q」とは、日本の「2ちゃんねる」（現「5ちゃんねる」）に似た、アメリカのアングラ系の画像掲示板「4Chan」にある政治板に、意味深なメッセージの書き込みを始めた匿名の人物のことである。

最初の投稿は二〇一七年一〇月二八日から一一月六日にかけて行なわれた。それは次のようなものだった。

【二〇一七年一〇月二八日：Qアノン投稿】

「二〇一七年一〇月三〇日月曜日の東部標準時間午前七時四五分から八時三〇分の間に、ヒラリー・クリントンは逮捕される　Q」

何とも不気味な投稿だ。もちろんヒラリーの逮捕は現実にはならなかった。このような投稿には誰も見向きもしなかった。

しかし、投稿したこの匿名の人物が自分の情報を少しずつ語り出すと、俄然注目を集めるようになる。これが以後、全米から大きく注目され、トランプ支持の政治運動となる「Qアノン」の投稿の始まりだったのである。

「Q」のプラカードを掲げてトランプの支援集会で熱狂する人たち

アマゾンで販売されているＱアノンのＴシャツ

機密情報にアクセスできる匿名者「Qクリアランス」

アメリカ連邦政府の諸省庁には機密に指定された情報がある。安全保障に関連したものが多く、情報は機密性の高さに応じて分類されている。例えば国防総省（ペンタゴン）では次のようになっている。

コンフィデンシャル：許可のない公開は、安全保障上の脅威となる情報
シークレット　　　：許可のない公開は、安全保障上の深刻な脅威となる情報
トップシークレット：許可のない公開は、安全保障上の例外的に深刻な脅威となる情報

エネルギー保障と核安全保障を統轄する米国エネルギー庁にも、これと同様の機密情報へのアクセス権限のランクがある。最下位から順に「コンフィデンシャル」、「シークレット」、「L」、「トップシークレット」、そして最上位が「Q」だ。

「Q」は国防総省の「トップシークレット」よりもランクが高く、アクセスできる機密情報には実質的な制限がない。こうした情報に対するアクセス権限のことを「クリアランス（clearance）」という。例えば、「トップシークレット・クリアランス」とは、この超高水準の機密情報にアクセスする権限を有する、ということだ。

「4Chan」の政治板に突然、投稿を始めた人物は、エネルギー庁の「Qクリアランス」を持つ

という。これは最も慎重に扱うべき安全保障関連の情報も含め、あらゆる水準の機密を知る立場にあることを意味する。

Qクリアランスを持つ「匿名（アノニマス）」の人物ということで、彼は「Qアノン（QAnon）」と呼ばれるようになった。投稿は「Q」のハンドルネームで行なわれ、「4Chan」の投稿には特有の個人認識番号の「トリップコード」が付与されるが、Qの全ての投稿は「Bread crumb（ブレッドクラム）（パン屑（くず））」のタイトルで行なわれている。

投稿の動機は、アメリカで水面下に起こっている危険な事態を阻止し、トランプとともに「アメリカ第二革命」を推進することだという。

Qアノンの謎解きにのめり込む理由

このように聞くと、うさん臭い話にしか思われない。実際、Qアノンの投稿に接した最初は誰しも、日本の「2ちゃんねる」でよく話題になる「二一六〇年から来た未来人」のような、ネットで消費されては消え去るアングラ系の話題の一つくらいにしか思わなかったはずだ。

筆者がQアノンを発見したのは投稿が始まって間もない二〇一七年一一月六日だった。当初はユーチューブで面白いエンタメ動画を発見したくらいの感覚で眺めていたものだ。だが、Qアノンの投稿の詳細を知るようになると、誰もが思わずのめり込んでしまう。

Qが投稿する情報に格別の面白さがあるわけではない。基本的にQの投稿は陰謀論だ。ロックフェラー、フリーメイソン、イルミナティなど、アングラ系サイトで氾濫するキーワードが多数登場する。日常の必要な情報から、一般のテレビや新聞では話題に出来ないキワモノ情報まで、日々ネットを活用している私たちにとっては、陰謀系の情報はあまりにもありふれたものだ。

だが、Qアノンがこうした情報を投稿欄にただ列挙しているだけだとすれば、トランプ支持者集会に「Q」のプラカードを握り締めた人々が大挙して押しかける騒ぎにはなっていないはずだ。

Qアノンの投稿にハマる理由ははっきりしている。投稿が情報を直接伝えるのではなく、「なぜ〜だろうか?」という質問形式になっており、それらの質問を一つひとつ調べ(リサーチ)ていくと、今、アメリカや諸外国で水面下に起こっている深刻な事態がはっきりと見えてくる、実に巧みな構成になっているからだ。つまり投稿を読んだ者が謎解きに興じていると、思いもかけない世界に迷い込んでしまうのである。

これに対する閲覧者(フォロワー)たちの見方は二分されている。一つは、Qアノンはネットで出回っている膨大な情報をあたかも裏の事情を知っているかのような体裁で投稿しているだけで、さして大きな意味はない、とするもの。もう一つは、Qクリアランスの権限を持つ者しか知りえない裏情報が多いので、明らかに内部からの情報漏洩(リーク)であるとするものだ。謎解きに興じている者たちのほとんどは、後者の立場だと思われる。

●――Qアノンが暴露したオバマの黒い過去

では、Qアノンの投稿はどのようなものなのか、さっそく見ていくことにしよう。投稿は膨大な量なのでほんのさわりだけを紹介する。

【二〇一七年一一月六日：Qアノン投稿】

「アルワリードと他の者たちの逮捕はなぜ重要なのか？

アルワリードとオバマはどのようにフーマと繋がっているのか？

なぜ、アルワリードは政治家になる前のオバマに資金を援助したのか？

フーマとは何者か？　定義せよ

オバマはどんな本を読んでいるところを目撃されたのか？

これは、なぜ間違った報道だとして無視されたのか？

ファリード・ザカリア著『*The Post-American World*（アメリカ以後の世界）』とは何か？

この質問は、なぜ意味があるのか？

なぜ、アメリカの大統領がこの本を読んでいたのか？

オバマはどの教会に通っていたのか？

オバマのメンターは誰なのか？　Ｑ」

さて、これらの質問に答えるべくリサーチしてみると、サウジアラビアとオバマ元大統領とのほとんど知られていない〝裏の関係〟がはっきりと見えてくる。特に次の質問が重要だ。

「なぜ、アルワリードは政治家になる前のオバマに資金を援助したのか？」

まず、この問いに出てくる「アルワリード」とは、アルワリード・ビン・タラルのことだ。

二〇一七年一一月四日から五日にかけて、サウジアラビアで大きな政変があった。その年六月に王位継承者に指名されていたサウド家のプリンス、ムハンマド・ビン・ナーイフを押しのけて皇太子に指名された弱冠三二歳のムハンマド・ビン・サルマンが、二〇〇名を超える王族と政府高官を汚職を理由に逮捕・拘束するという事件が起こった。「サウジ政変」である。

拘束された人々には一一人の王子が含まれており、アルワリード・ビン・タラルもその一人だった。アルワリードはツイッター社やアップルなどのＩＴ企業、さらにはＦＯＸニュースチャンネルやウォール・ストリート・ジャーナルなどの大手メディア、そしてフォーシーズンズなどの高級ホテルに巨額の投資を行なっており、資産総額はおよそ二〇〇億ドル（約二兆二〇〇〇億円）、世界五番目の大富豪である。

アルワリードとオバマは、実はオバマが政治家になる遥か以前から、すでに関係があったことが明らかになっている。コロンビア大学を卒業したオバマは二五歳でハーバード大学法科大学院に進学したのだが、その多額の学費を支援したのがビン・タラルだった。

大統領選挙の約二カ月前の二〇〇八年九月、オンラインの保守系ニュースサイト『ニュースマックス』にほんの小さな記事が掲載された。それは二五歳当時の〝オバマ青年〟に関するものだった。

記事によると、ハーバード大学大学院進学を考えていた一九八八年、オバマはカリード・アル・マンスールという人物と知り合った。マンスールはイスラム教徒だが中東出身ではない。本名はドン・ワーデンというアフリカ系アメリカ人の弁護士で、六〇年代の過激な黒人民族主義運動「ブラック・パンサー」の創立に関与した人物である。

黒人民族主義の思想的な指導者マルコムXが、ブラック・ムスリムの「ネイション・オブ・イスラム」を脱退して伝統的なイスラム教に改宗した影響などもあって、六〇年代にイスラム教はアフリカ系アメリカ人の間で広まり、マンスールもそうした影響でイスラム教に改宗したと思われる。それもサウジアラビアの国教であるワッハーブ派だ。

マンスールは、オバマ青年がハーバード大学大学院に進学しようとしていた当時、サウジ政変で逮捕された大富豪アルワリード・ビン・タラルの個人的なアドバイザーもしていたようだ。

一九八八年当時のオバマ青年は教会が主導するシカゴの地域振興事業の管理者（オーガナイザー）だったが、マンスールはオバマの非凡な政治的才能を見出し、アルワリード・ビン・タラルに学費を支援するように働きかけてハーバード大学大学院進学が実現した。

View Same Google iqdb SauceNAO Trace CH_Navy_Bund.jpg, 735KiB, 2016x1512

Anonymous ID:KKIreCTB Tue 07 Nov 2017 06:50:33 No.148287184

Quoted By: >>148287533 >>148287552 >>148287580 >>148287596 >>148287737 >>148287829 >>148
>>148288890 >>148289163 >>148289715 >>148290265 >>148290329 >>148290377 >>148290722 >>1

Why was the arrest of Alwaleed and others important?
How is Alwaleed and BO tied to HUMA?
Why did Alwaleed finance BO pre-political days?
Why did Alwaleed finance BO pre-political days?
What is HUMA? Define.
What book was BO caught reading?
Why was this immediately disregarded as false?
What is 'Post-American World by Fareed Zakaria'?
Why is this relevant?
Why would the President of the UNITED STATES OF AMERICA be reading this book?
What church did BO attend as pre-POTUS?
Who was BO's mentor?
How is Alwaleed and HRC connected?
Who was HRC's mentor?
How is Alwaleed and Bush Sr./Jr. connected?
What occurred post 9-11?
What war did we enter into?

2017年11月6日(地域により時差)のQアノンの実際の投稿記事(前半部分)

Who are they?
What do they specialize in?
What is oil field service?
Why is this relevant?
What 'senior' level political officials are affiliated w/ Halliburton?
What is the primary goal?
What is the primary mode of influence that drives corruption?
What does money buy?
How is this connected to SA?
How is this connected to Alwaleed?
How is this connected to LV?
Q

投稿の後半部分。最後に「Q」の署名がある

オバマとの黒い関係が囁かれるサウジの大富豪、
アルワリード・ビン・タラル

これは極秘情報ではないものの、一般には知られていない事実だった。Qアノンの質問を調べて明らかになった事実である。もしかするとタラルの資金援助は学費だけにとどまらず、オバマが政治家、さらに後には大統領になるまで支援していたのかもしれない。

Qアノンの投稿の質問を調べる者は、オバマがアルワリード・ビン・タラルに代表されるサウジアラビアの権力者集団(パワーグループ)のいわば子飼いのような存在だったと示唆され、その蜜月関係はオバマが大統領になってからも延々と続いていたという結論へと導かれていく。

「オバマの愛読書」が示唆する秘密

オバマの思想的な傾向は、次の質問の答えをリサーチするとはっきりする。

「オバマはどんな本を読んでいるところを目撃されたのか?」

「ファリード・ザカリア著の『アメリカ以後の世界(*The Post-American World*)』とは何か?」

大統領就任から二年経った二〇一一年、オバマはある本を読んでいるところを写真に撮られ、世間を驚かせたことがある。

その本とは、『アメリカ以後の世界(*The Post-American World*)』であった。当時、ニューズウィーク誌の編集者でインド出身のイスラム教徒ジャーナリスト、ファリード・ザカリアが書いた本である。将来のアメリカの凋落と、その後の「多極型世界」の到来を予告してベストセラーになった本だ。

内容は決してアメリカ礼讃ではない。現在のアメリカを批判し、覇権の凋落が必然であることを主張している。次のような引用が本書の内容を如実に物語っている。

「アメリカの政治家は、見境もなく他国のあら探しをしては要求を突きつけ、レッテルを貼り、制裁を加え、非難を浴びせかける。過去一五年間にアメリカは世界人口の半数に対して制裁を発動してきた。世界中の国々の振る舞いに毎年毎年、通信簿をつけている国はアメリカ以外に存在しない。首都ワシントンは独善によって足もとがふらつき、外の世界から浮いた場所になってしまった」

国家の象徴である大統領が、こうしたアメリカの凋落を予告する本を読んでいて大丈夫なのか、という批判が起こったのである。少なくとも、オバマはアメリカの凋落を避けられないものとして受け入れている多極主義者かもしれない、との疑念が出てきたのだ。

黒人民族主義者がメンターだった

オバマの背景に何があるのか。次の二つの問の答えを探すとさらにはっきりする。

「オバマのメンターは誰なのか？」
「オバマはどの教会に通っていたのか？」

オバマには強い影響を受けた人物がいる。ジェレミア・ライト牧師である。彼はシカゴで黒人教会を主宰している。ミシェル夫人もこの教会の熱心な信者であり、二人の娘もライト牧師の洗礼を受けている。

また、オバマは突出してスピーチが巧みな大統領だったが、そのスタイルはライト牧師の説教から学んだともいわれている。

ちなみに、ライト牧師は黒人民族主義の傾向が強い人物として知られている。ミサでは白人を強く批判し、黒人はアメリカ国歌の一節にある「神よ、アメリカを祝福したまえ」を「神よ、アメリカを地獄に落としたまえ」と歌うべきだと主張するほどだ。

二〇〇八年の大統領選挙の直前、このようなライト牧師の影響を受けたオバマが大統領に出馬するのはとんでもないとして激しい批判が巻き起こったが、オバマは人種差別をテーマにした絶妙なスピーチで追及をかわし、難を逃れたという経緯がある。

アメリカの黒人民族主義運動の中心的な担い手になっているのは「ブラック・ムスリム」と呼ばれる黒人イスラム教徒の運動組織で、「ネイション・オブ・イスラム」などは代表的な組織体だ。

オバマのハーバード大学大学院進学の学費をアルワリード・ビン・タラルに支援させたカリード・アル・マンスールは、ブラック・ムスリムのエリートだったと思われるが、オバマのこうした思想的背景とも通じ合っていたのかもしれない。また興味深いことに、ビン・タラルもブラック・ムスリムに共鳴していたことが知られている。

●最高権力者・オバマの正体を暴く快感

さて、こうしたQアノンの投稿に促されてさらに調べていくと、オバマという人物が何者なのか、次第に暴いていくような知的興奮を体験できる。大統領であった人物の虚飾が剥(は)がされ、誰も知らない真実が忽然と姿を現わす。すると、自分は秘密を知ってしまったという感動と快感が湧き上がってくる。いわばQアノンとともに、アメリカの裏の秘密を覗き見るような感覚になるのだ。

つまりオバマとは、黒人民族主義の影響を受けてアメリカの凋落を不可避なものとして認識している多極主義者であると同時に、サウジアラビア王家に連なる一族から資金的に支援されて政治家になった人物、という印象(イメージ)だ。

Qアノンは、前アメリカ大統領のオバマが、サウジアラビアと不適切な関係が深い反米的な裏切り者だったと言いたいのだろうか。

カリード・アル・マンスールと若き日のオバマ

ブラック・パンサーのメンバー

ファリード・ザカリアの著作
『*The Post-American World*
（アメリカ以後の世界）』

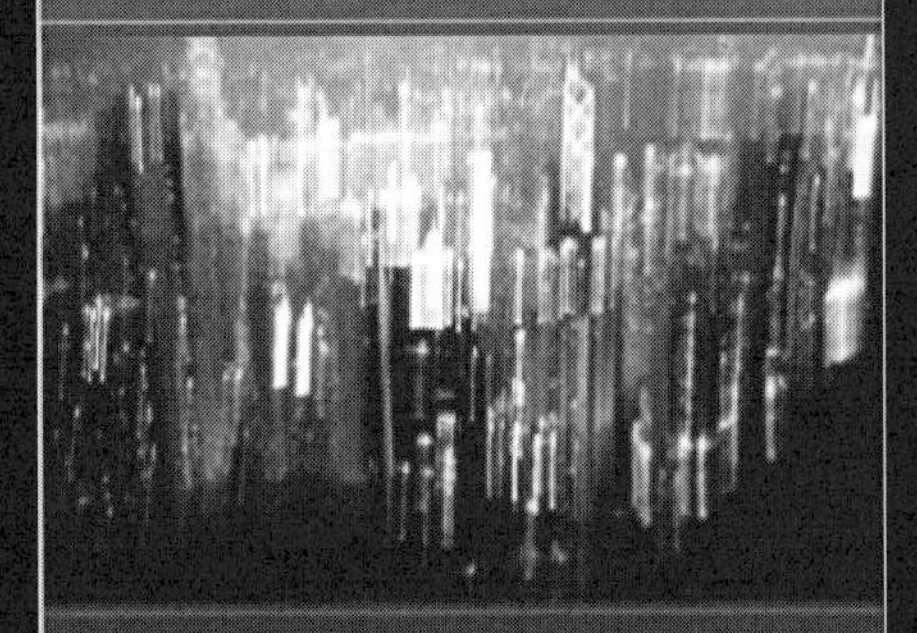

ジェレミア・ライト牧師とオバマ

いずれにしろ、事実かどうかはともかく、Qアノンの質問形式の投稿をリサーチする者は、秘密を知るという興奮とともに、謎めいた投稿を解読し、事実を暴く作業に没頭するようになる。するとQアノンの意図した通りのシナリオが、隠された真実として信じられるようになる。

このことが、アングラ系掲示板「4Chan」への単なる投稿に過ぎないQアノン情報が、膨大な数の人々を引き込み、社会現象にまでなっている一因であろう。

●――Qアノンが予告していた「サウジ政変」

しかしQアノンには、ただの謎解きでは説明できない不気味な投稿も多い。また、見る者をうまく引き込む巧妙な仕掛けというだけではなく、もしかしたらQアノンは本当に国家機密情報への全面的なアクセス権限を持つ、トランプ政権内部にいる人物なのかもしれないと思わせる投稿もあるのだ。

二〇一七年一一月三日の投稿を見てみよう。

【二〇一七年一一月三日：Qアノン投稿】

「過去にどのようなことが発言されたのか？

ソロスの一八〇億ドルはどこにいったのか？

それは悪辣なアクター（登場人物）によって遣われたのか？（逃亡、賄賂、悪者の契約者）

裏金？

アメリカ政府は実行を阻むか、またはそうなるリスクのある不正資金を没収、停止、追跡したのか？

なぜＪＫはＳＡに行ったのか？

巨額の献金はどこから来たのか？

どうして、これらの情報は関連があるのか？

ＳＡについて他の何が関連しているのか？

安全な港なのか？

移転のための拠点なのか？

ＪＫと大統領への組織的中傷は、なぜ行なわれたのか？

なぜ、タイミングは重要なのか？

誰が記事を出したのか？

魔女と悪魔の委員会を敗北させることは出来ない
ここからはよい眺めだ　Ｑ」


この投稿があった翌日の一一月四日、前述のようにサウジアラビアでは独裁的な傾向の強いムハンマド・ビン・サルマン皇太子が、一一人の王子と約二五〇人の政府高官を監禁ないしは逮捕するという「サウジ政変」が起こった。

これはまさに寝耳に水の出来事で、この政変を予期していた者は誰もいなかった。Qアノンの投稿は、あたかもあらかじめ政変が起きることを知っており、サウジアラビアに注目するように促しているようにも見える。

ちなみに、Qアノンが悪党一味として攻撃するヒラリー・クリントン所有の財団が、クリントン財団である。この財団の最大の献金主がサウジアラビアであることは、クリントン財団の会計報告から明らかになっている。そしてその最大の個人献金者は、オバマを財政的に支援していたアルワリード・ビン・タラル王子その人なのである。

どうも投稿から察するに、クリントンやオバマをはじめとする民主党人脈に献金していたのはアルワリード・ビン・タラルなどのグループであり、一一月四日に突然勃発したサルマン皇太子のクーデターによって、この勢力が排除されたという解釈になる。

トランプ大統領の娘イヴァンカの夫であり、大統領上級顧問でもあるジャレッド・クシュナーがサウジアラビアを訪問したのは、民主党のサウジ人脈を排除するクーデターを背後から支援するためだったのかもしれない。

「今やユーチューブなどに溢れているQアノン投稿の解釈者の多くはこのように解釈し、「Qアノンはトランプ政権の内部から情報を漏洩（リーク）している人物である」との確信を強めた。

しかし、そのように投稿が読めるとしても、果たしてどこまで断言できるのだろうか？

「SA」とは本当にサウジアラビアのことなのか？　「JK」はジャレッド・クシュナーのことか？　一一月四日のクーデターに結び付けて、勝手な思い込みで解釈しているのではないだろうか？　一連の投稿は、単なる陰謀論オタクによる趣味の悪い悪戯なのではないだろうか？

Qアノンをトランプ政権内部の者とするには、もっと確実な証拠がほしいところである。

●──証拠を求める質問へのQアノンからの回答

Qアノンの投稿に惹きつけられている多くの「4Chan」の閲覧者も同じ思いだった。

そこで二〇一七年一一月二〇日、ある匿名の投稿者がQアノンに「もっと証拠がほしい」と呼びかけたのである。すると、Qアノンから「同意した」との返答があった。

投稿者は、Qアノンがトランプ政権内部にいる人物である証拠として、「wonderful day」という語句をトランプのツイートに入れるように依頼すると、翌日の一一月二一日、トランプは以下のようにツイートした。

「Today, we continued a wonderful American Tradition at the White House. Drumstick and Wishbone will live out their days in the beautiful Blue Ridge Mountains at Gobbler's Rest…」

これは、ホワイトハウスで大統領が感謝祭に七面鳥に恩赦を与えて命を救うという、毎年恒例となっている伝統的な儀式を行なったという内容だが、たしかにツイートには匿名の投稿者が証拠として要求した「wonderful」と「day」という語句が含まれていた。

「4Chan」のQアノンファンは、Qアノンがトランプ政権内におり、大統領のツイートにもアクセスできる立場にいる確たる証拠だとして狂喜した。Qアノンは実はトランプ本人ではないかと主張する人々まで現われた。

さらに二〇一八年一月二九日、投稿者の一人がQアノンに、トランプが翌日に行なう予定の一般教書演説で「tip top（頂点）」という言葉を挿入してくれないだろうかと頼んだ。

翌日の演説ではそのようなキーワードはなかったものの、約二カ月半後の四月一二日に行なわれたイースターを祝うトランプの演説では、次のような一文があった。

「We keep it in tip-top shape. We call it sometimes tippy-top shape.」

「tip-top shape」とは「最高の形」という意味である。この演説には確かにQアノンに依頼したキーワードが入っている。このことはQアノンがトランプ政権内にいる人物で、大統領とかなり近い関係にある人物である確証だとしてファンは大いに盛り上がった。

Qアノンの投稿には、政変が起こる前に予告されていたり、Qアノンに依頼したキーワードがトランプのスピーチやツイートに盛り込まれているなど、Qアノンが政権内の人物であることを示す同様のケースが約二〇ほどあり、支持者を拡大させている。

●――Qアノン投稿は何を伝えようとしているのか

このように、Qアノンがトランプ政権内の人物である具体的な証拠とも見えるようなものを突きつけながら、Qアノンフィーバーは瞬く間に広がっていった。

ユーチューブでは、Qアノンの質問形式の投稿をリサーチした結果を報告する動画が溢れた。ユーチューブに結集した数万の人々は、一斉に共同でQアノンの秘めたメッセージを解読しはじめ、まるでカーニバルに参加でもしているかのような熱狂と興奮を示した。

質問形式によってリサーチへ誘導するというQアノンの手法は、閲覧者が主体的に投稿を解読し情報を得ることで、どんなトンデモ系の内容でも漏洩(リーク)された情報としての現実味(リアリティー)を持ちはじめる。

初期のQアノンの投稿は、どのような内容の情報を伝えようとしていたのだろうか？　アメリカに関するものだけを以下、簡単に概要をまとめてみよう。

●トランプは、〝ある勢力〟から大統領になるように依頼された人物だ。彼の役割は、根底から腐っているワシントン政界を本格的に浄化し、アメリカを国民の手に取り戻す「アメリカ第二革命」の実行である。トランプを守っているのは、アメリカの中でも腐敗していない唯

Donald J. Trump @realDonaldTrump · 2017年11月22日

Today, we continued a wonderful American Tradition at the White House. Drumstick and Wishbone will live out their days in the beautiful Blue Ridge Mountains at Gobbler's Rest...

2017年11月20日のトランプ大統領のツイート

Also, I want to thank the White House Historical Association and all of the people that work so hard with Melania, with everybody, to keep this incredible house or building, or whatever you want to call it — because there really is no name for it; it is special — and we keep it in tip-top shape. We call it sometimes tippy-top shape. And it's a great, great place.

2018年4月12日に行なわれたトランプ大統領の演説の一部

一の組織である海兵隊である。そして今、軍に所属する情報機関とCIAやFBIとの間で暗闘が繰り広げられている。この動きを背後で指揮しているのは国防情報局（DIA）の長官で、更迭されたマイケル・フリン中将である。

●また、ロシアゲートでトランプ政権を摘発しているロバート・ミュラー特別検察官も軍の出身で、実はトランプ陣営の仲間だ。ミュラーはロシアゲートの捜査対象を民主党にまで拡大し、民主・共和両陣営の本格的な捜査と摘発を開始した。トランプの選挙対策本部長で起訴されたマナフォートは、トランプ陣営に送り込まれたスパイである。しかもスパイは彼だけではない。

●この戦いは（二〇一七年）一一月三日のポデスタの起訴から始まる。また、一一月六日にはフーマも起訴されるはずだ。トランプ大統領の一三日間という長期のアジア外遊が予定されているのは、この期間にワシントン政界の浄化を進めるべく、さまざまな人物の起訴と逮捕が予定されているからだ。トランプ大統領の帰国後は、これまでとは異なったアメリカになるはずだ。

●トランプ大統領の身の安全は保証されている。外遊中の大統領専用機やトランプの身の安全は、海外に駐留する米軍、特に海兵隊によって守られている。

投稿にある「マナフォート」とは、ミュラー特別検察官が起訴したトランプ陣営の選挙対策本部長のポール・マナフォートのことである。また「ポデスタ」とは、クリントン陣営の選挙対策本部長を務めたジョン・ポデスタとトニー・ポデスタ兄弟のことである。

そして「フーマ」とは、サウジアラビア出身でヒラリーの側近のフーマ・アバディンだ。ちなみにフーマ・アバディンは、セックススキャンダルで起訴された下院議員アンソニー・ウィナーの妻である。イスラム原理主義組織「ムスリム同胞団」の著名な家系の出身でもある。なぜ、このような人物がヒラリーの最側近であるのか謎が多いとされている。

これが二〇一七年一〇月二八日から始まったQアノンの初期の投稿の内容だ。もちろん現実には、ジョン・ポデスタやフーマ・アバディンは起訴されていない。投稿の内容は完全に外れている。それでもQアノン信奉者の数は増えるばかりだった。

Qアノンが流布する「ディープな陰謀論」

いったい、Qアノンとは何者なのだろうか？

当初は、単なる陰謀系オタクによる悪戯か妄想に過ぎないと思われていたが、そうではないことは間違いない。トランプ政権の内部にいる人物と考えたほうがむしろ合理的だ。

Qアノンの正体を示唆する幾つかの情報がある。ポール・E・バレー陸軍退役中将という人物が、カナダのネットラジオのインタビューに答えて、Qアノンの背後に存在する組織について語っている。

トランプはCIAやFBIなどの「ディープステート」の情報を全く信用していないので、米軍の情報組織から集められた人員によって構成された「アーミー・オブ・ノースバージニア（北バージニア陸軍）」という組織に依存しているという。これは八〇〇名ほどの組織で、Qアノンはこの組織のメンバーのようだとしている。

Qアノンの投稿の内容はアメリカに関するものにとどまらない。あらゆる分野のディープな陰謀論が詰まっているパッケージのようなものだ。

投稿が始まってまだ二年数カ月しか経っていないものの、一時中断していた期間があった以外、ほぼ毎日投稿が続いているので、そのメッセージ量は膨大だ。すでに述べている内容もあるが、これまでの主要な情報をまとめると以下のようになる。

●「タイタニック号」は、中央銀行である「FRB（連邦準備制度理事会）」の設立を急ぐ「J・P・モルガン」によって、反対者を排除するために撃沈された。

●トランプは「ディープステート（影の政府）」と戦い、アメリカを国民の手に取り戻す「アメリカ第二革命」の指導者である。

●アメリカを背後から支配しているのは「ロスチャイルド家」、「ソロス家」、そしてサウジアラビアの「サウド王家」である。彼らは「クリントン一味」と「ディープステート」を動かし、アメリカを支配している。

●「ロスチャイルド家」、「ソロス家」、そして「クリントン一味」は悪魔崇拝の「サタニスト」である。さらに彼らは「ペドフィリア（小児性愛）」の愛好者だ。ペドフィリアにはアメリカのエリート層を巻き込んだネットワークがある。

●オバマ前大統領はアメリカ生まれではない。そのため大統領になる資格のない人物だった。また、オバマはイスラム教徒で、サウド王家の王子に経済的な支援を受けていた。

●主要メディアが報道する内容はフェイクニュースである。フェイクニュースは、ＣＩＡの「モッキングバード作戦」で作られる。これを作る代理業者（エージェント）は「ブラック・ハット」と呼ばれている。

●ドイツのアンゲラ・メルケル首相は、ナチス・ドイツの総統アドルフ・ヒトラーの実娘である。また、イギリスのエリザベス女王は「カバル」と呼ばれる支配層のメンバーであり、イギリス情報機関「ＭＩ６」にダイアナ妃を暗殺させた。この事件にはメルケル首相も絡（から）んでいる。

●北朝鮮の金正恩（キムジョンウン）はＣＩＡの操り人形である。北朝鮮は、戦争が必要になる事態を想定して作られた。北朝鮮をコントロールするＣＩＡの司令部は、平壌の「香山（ヒャンサン）ホテル」の中にある。

●二〇一七年一〇月に起こったネバダ州ラスベガスの「マンダレイホテル」の乱射事件は、ＦＢＩの内部犯行である。

●民主党全国委員会委員長のデビー・ワッサーマンシュルツは、ニカラグアの犯罪集団「Ｍ

S－13」を雇って、民主党サーバの情報を「ウィキリークス」に漏洩（リーク）した民主党本部のＩＴ担当者セス・リッチを殺害した。

これらはＱアノンの投稿のほんの一部の内容であり、その他にも世界情勢の裏側に関するディープな投稿は多い。

投稿が始まって二年以上を経た今、Ｑアノンの情報はますます拡散され、支持者が激増している。どれほどの支持者がいるのかはっきりとは判らないが、サイトのアクセス数やアプリのダウンロード数からして支持者が急拡大しているのは間違いない。

二〇一八年三月には、Ｑアノンの投稿をまとめた「Ｑアノン・パブ（QAnon.pub）」というサイトが開設された。開設して瞬く間に月間七〇〇万を超えるアクセス数を記録している。また二〇一八年四月には、Ｑアノンの投稿を見るためのｉｐｈｏｎｅ（アイフォン）用のアプリが出たが、アップルストアではトップ一〇に入るダウンロード数だった。さらにネット書店では、Ｑアノンの熱烈な支持者が書いた解説書が売上ランキング二位になっている。

Ｑアノン現象はこのように拡大を続け、ニューヨーク・タイムズやワシントン・ポストなどの主要メディアは、Ｑアノンを解説する記事をシリーズで掲載した。記事のほとんどはＱアノンが展開する陰謀論の情報が拡大していることに驚き、激しく批判している。

一方、人類学の研究者や調査ジャーナリストはＱアノン現象を冷静に論じた書籍を刊行して

ＣＩＡの司令部が置かれているとの説がある平壌の香山ホテル

民主党全国委員会委員長の
デビー・ワッサーマンシュルツ

ウィキリークスへの情報漏洩で
殺害されたと囁かれる
民主党ＩＴ担当者セス・リッチ

いる。しかし、いずれも内容は批判的だ。

政治運動化していくQアノン

そうこうしているうちに、Qアノンはネットの言論空間を飛び出し、現実の政治運動に転化しだす。

冒頭で述べたように、二〇一九年八月頃からQアノンのTシャツやステッカーを身に着け、「Q」と書かれたプラカードを手にした集団が、アメリカ各地でのトランプの支援集会に大挙して姿を見せるようになった。その様子は主要メディアでも大きく取り上げられ、日本でも報道された。

二〇一九年四月には、Qアノンのような陰謀論と関連することを恐れたトランプ陣営によって、「Q」のサインを持つ人々が会場から排除されている。それでも彼らは会場の周囲に集結し、気勢を上げている。

Qアノンの影響はどんどん拡大され、ついに暴力的な行動に出る人々を輩出するに至った。彼らは狂信的ともいえる熱烈なトランプ支持者だった。

二〇一八年六月一五日、ネバダ州のマシュー・フィリップ・ライトなる人物は、Qアノンの主張に基づいて、FBIによるヒラリー・クリントンの極秘捜査のファイルの公開を求め、自動小銃で武装してトラックに立て籠り、九〇分間にわたりフーバー・ダム周辺の交通を遮断するという事件が起きた。

また二〇一九年三月には、ニューヨークのマフィアのボス、フランク・カリが射殺された。犯人はニューヨーク在住のアンソニー・コメロという二四歳の若者であった。コメロは、自分はトランプ大統領の〝特別な保護〟を受けていると信じ込み、フランク・カリがトランプに敵対するディープステートに加担しているとして、殺害に及んだと明かした。逮捕されたコメロは、右の掌（てのひら）に書いた「Ｑ」の文字を得意げに見せ、Ｑアノンの支持者であることを誇示した。

Ｑアノンはネットの枠を遥かに超えた現象となり、トランプを「アメリカ第二革命」の旗手として崇（あが）める政治運動の思想となりつつある。最初はネットの掲示板の書き込みにすぎなかったものが、トランプの岩盤支持層の過激な革命思想としてひとり歩きし、暴力も含めた具体的な言動を誘発するようになったのである。

Ｑアノン現象は大統領選挙に向けてさらに拡大を続けていくだろう。この動きが今後のアメリカ政治にどの程度の影響を与えることになるのか、予断を許さない状況だ。

こうした状況に最大限の警告を発しているのがＦＢＩである。

二〇一九年五月、アリゾナ州フェニックスのＦＢＩ支局は、報告書でＱアノンの信奉者が国内テロを引き起こす可能性が高いとして、注意を喚起した。反政府的テロを引き起こすというのだ。

これは陰謀論が実際のテロを引き起こす原因として指定された初めてのケースとなった。報告書でも、その根拠として幾つか検挙の事例が記載されている。

二〇一八年一二月一九日、全米に「ニュー・ワールド・オーダー（新世界秩序）」と「ペドフィリア（小児性愛）」の存在を知らしめるために、イリノイ州スプリングフィールドにある教会を「サタンの教会」として爆弾テロを起こそうとした人物が逮捕されている。

しかし、Qアノンを信奉する人々の動きは止まらない。二〇一九年八月には、「デジタル・ソルジャー・カンファレンス」の開催が発表された。これは「デジタル市民革命」を実行する目的で集まったQアノン支持者の集会であった。

トランプ本人も陰謀論者なのか

Qアノンの陰謀論に正当性を与えているのは、実はトランプ本人でもある。トランプはQアノンの投稿に近い言説や、Qアノンの信奉者が信じている陰謀論と同様の内容を機会あるごとに語っている。以下は、トランプが信じているとされる陰謀論である。

●共和党のテッド・クルーズ上院議員の父親は、ジョン・F・ケネディ暗殺の真犯人を知っていた。
●オバマ前大統領はアメリカ生まれではないので、大統領になる資格はなかった。
●クリントン元大統領は任期中、自分の側近の一人を殺害している。

●シリア難民には多くのIS（イスラム国）の戦闘要員が混ざっている。
●子供用のワクチンの接種で自閉症になる。
●911同時多発テロの直前、ハイジャック犯の妻はサウジアラビアに逃亡した。
●911同時多発テロの直後、ニュージャージー州のイスラム教徒はテロ成功を祝していた。
●地球温暖化は存在しない。ウソである。
●オバマ前大統領はトランプ陣営を盗聴していた。
●ビル・クリントンとヒラリー・クリントンは、ペドフィリアの実行者だったジェフリー・エプスタインを殺害した。
●ウクライナ政府はヒラリー・クリントンの紛失した私的メールのサーバを保管している。

アメリカの陰謀系SNSに流れている情報をあまり知らない方には、ちょっとピンと来ないかもしれないが、これらはQアノンの信奉者の多くが信じている陰謀説でもある。

アメリカの大統領自らが、その類（たぐい）の情報の妥当性を肯定するかのような発言をしているのだから、Qアノンが投稿する内容の信憑性（しんぴょうせい）もおのずと高くなるわけだ。

◉――掲げられた大テーマは「大覚醒」運動

Qアノンの投稿記事に触発され、トランプを「アメリカ第二革命」の旗手として結集するような考え方が一種の思想と呼ぶことが出来るなら、それはアメリカ政治の伝統的な土台であるリベラルや保守という思想潮流には属さない〝まったく別の何か〟である。

また、それはアメリカの主要メディアが報じているように、トランプ政権の成立とともに噴出した危険な地下思想としての白人至上主義や反ユダヤ主義などでもない。もちろんそうした思想の支持者の中にもQアノンの信奉者はいるだろう。しかし、白人至上主義はQアノンの投稿には見られない。白人至上主義者の一部がQアノンに結集していたとしても、Qアノンと白人至上主義は直接の関係はない。

Qアノンの〝思想〟とは何か？

それは、保守やリベラルの既存枠では単純に括ることの出来ない反エリート主義の陰謀論だ。世界の出来事は、「ロスチャイルド家」や「ソロス家」などの悪魔崇拝主義者たちの勢力によって陰で操られており、彼らは「単一の政府」が支配する社会主義的な「ニュー・ワールド・オーダー」を実現するために活動しているとする世界観である。

「Qアノン現象」とは、こうした世界観を信じる人々が激増した結果、決して軽視できない政治勢力となってトランプの岩盤支持層の中核を成すようになったことを表わしている。つまり、ネットのアングラ掲示板から拡散された陰謀論が政治思想のようなものに姿を変え、現実の政治に影響を及ぼす水準の運動になったということだ。

このような現象が起きた後では、「ネット」と「現実」という二項対立はもはや成立しない。

ネットの投稿に支持が集まり、ある臨界点を超えると、それがどんなにあり得ない幻想（ファンタジー）であろうとも、オンライン空間を飛び出して、現実の運動となって物質化しはじめるのだ。

しかも、Ｑアノン現象はそれだけに収まらない。オンラインの掲示板やメディアにはあらゆるコミュニティー（ネット上の集団）がある。日本の「2ちゃんねる」を見ても分かるように、そこには政治系・経済系のみならず、陰謀家、オカルト系、スピリチュアル系等々、およそ考えられる限りのあらゆるボード（板、スレッド）がある。

それらは特定の話題を中心に形成されたコミュニティーだが、中には一日数千から数万のアクセスがある巨大オンライン・コミュニティーも存在する。

アメリカもまったく同じ状況だ。むしろアメリカのほうが遥かに巨大である。「4chan」や「8chan」、「8Kun」、「Redit（レディット）」などの「2ちゃんねる」のような掲示板のほか、スピリチュアル系や陰謀論系でいえば、『ガイアＴＶ（GaiaTV）』のような世界一八五カ国で五〇万人を超える登録者を抱える有料ネットテレビや、全米で三〇〇万人の聴取者を有する『コースト・トゥ・コーストＡＭ（Coast to Coast AM）』のようなラジオ番組もある。

今、起こっていることは、Ｑアノンはどこのコミュニティーでも最大の話題となり、膨大な数の人々がＱアノンの思想に説得され、引き込まれているという特異な現象である。

また、Ｑアノンの信奉者が今まで知らなかったコミュニティーを知り、魅了され、アングラ系のあらゆるコミュニティー同士が刺激し合うようになり、Ｑアノン現象の一層の拡大に拍車をかけている。

実は、そうした相互作用が起こっている背景には、Qアノンを含めたアングラ系のコミュニティーが、ある一つの大きなテーマのもとに結集している事実がある。

それは、「大覚醒（The Great Awakening）」と呼ばれているものだ。

政治、経済、世界情勢のみならず、科学技術や医療、そして地球外生物に至るまで、あらゆる領域で隠蔽されてきた事実が暴かれ、真実が露呈し、人類の精神的な覚醒を呼び起こすということである。

この「大覚醒」の運動は、二〇代後半から三〇代前半の「ミレニアル」と呼ばれる世代を中心に、膨大な人々を引き込んでネット界の一大勢力となっている。そのコミュニティーとしては以下のようなものがある。

●世界の真の支配者と闇の組織
「ロスチャイルド家」や「ソロス家」など、世界を背後から支配している一族、ならびに彼らの道具として動く「ディープステート」と総称される情報機関、そしてその上位に君臨する悪魔崇拝主義者（サタニスト）の「イルミナティ」に関する情報を共有する。

●ディープ・ステート（影の政府）

「大覚醒」運動の集会で見られるポスター

前項で述べた闇の組織とともに世界支配の陰謀を企てているアメリカ政府の影の組織。社会主義化した国々を単一の世界政府に統合し、人間を管理する「ニュー・ワールド・オーダー」の樹立が目的。

●秘密宇宙プログラム

内部告発者コーリー・グッドや『ディスクロージャー・プロジェクト』を主宰するスティーブン・グリア博士の情報を中心にまとまったコミュニティー。地球を支配しているレプタリアン（ヒト型爬虫類）や、地球を訪れている八〇種類を超える地球外生物の情報などが提供されている。また、「地底文明」、「異星人の南極基地」、「古代のエイリアン」、「イルミナティとレプタリアン」、「ディープステート」などの情報も網羅されている。

●アセンション（次元上昇）

二〇二三年から二〇二四年頃になると、太陽系は異なる周波数が放射される天の川銀河の別の領域に入る。これが引き金となって、人類の意識は進化するという。また、この時期に太陽の巨大フレアの発生があり、その影響で人類を進化させることになる。「マヤ暦（カレンダー）」などに関連したものも、このコミュニティーに入る。

その他、多くのコミュニティーがあるが、以上が代表的なものだ。

重要なことは、Qアノンの出現とその投稿記事の影響の拡大により、今まで社会の周辺に追いやられていたトンデモ系のコミュニティー同士の交流が活発になり、その相乗効果でこれまでにないほどのアクセス数を記録しているという事実である。

これらのコミュニティーは、長らく隠蔽(いんぺい)されてきた世界と宇宙の真実が暴露され、人間の意識が進化するという「大覚醒」運動を構成するほんの一部である。その意味では、Qアノンの主張する「アメリカ第二革命」は、この運動の盛り上がりを象徴する代表的なコミュニティーといえる。

Qアノンはすでに政治運動化し、トランプ支持の岩盤層の中核となっている。二〇二〇年の大統領選挙ではこの動きがさらに強化され、多くの局面でQアノンのサインを見ることになるだろう。そして同時に、「大覚醒」運動を構成する他のコミュニティーの支持者も、それぞれの主張を強力に展開していくだろう。

もはや、オンラインのトンデモ系の世界観がアングラの世界を飛び出して、トランプの支持者集会をはじめさまざまな政治運動の場面で登場し、「大覚醒（The Great Awakening）」の横断幕がはためくのも時間の問題かもしれない。

そしてそれは一九八〇年代の日本で、「オウム真理教」が衆議院選挙に大量の立候補者を立てて世間が驚愕したことと同様の反応を引き起こすだろう。このときのオウム真理教の活動は、数年後に起きるおぞましい事件の布石でもあった。

二〇二〇年、アメリカ大統領選のさなかに同じ光景を見る可能性がある。Qアノン現象はいまだ得体の知れない「大覚醒」運動の端緒にすぎないのだ。

第二章◉全米が熱狂する「秘密宇宙プログラム」

聴衆を集める「ニューエイジ系スピリチュアル」セミナー

アメリカで今、大変な人気を集め、数多くのセミナーを開催して聴衆を大量に動員しているコーリー・グッドという人物がいる。彼のセミナーの雰囲気を伝えるために、幾つかの情景を抜粋して合成し、以下ドキュメンタリー風の見聞記として記述してみよう。

――二〇一九年四月のある日、ハワイ島コナで「コズミック・ウェーブス」というセミナーが開かれた。

五日間に及ぶセミナーで参加費は一一一五ドル。日本円で一二万円ちょっとだ。五日間の連続セミナーなので、これを安いと考える人もいれば、高すぎて手が出ないと思う人もいるだろう。価値観はさまざまだ。

ただ、五日間もあるので、まだ手つかずの自然と、ホノルルのあるオワフ島ではもはや見ることの出来ないハワイの伝統文化や儀式を味わうことができ、古代ハワイアンの精神文化に触れる機会は多い。それを考えると、セミナー付きの五日間のバカンスが一二万円というのは安いのかもしれない。

四月のコナはすでに猛暑だ。海に面したセミナー会場には常夏の香りが漂い、一〇〇名を優に超える参加者が集まっている。みなアロハシャツを着てリラックスしているが、これから始まるセミナーに期待を膨らませ、わくわくした眼で壇上を凝視している。

セミナーの講師は、コーリー・グッドをはじめ、マイケル・サラ博士、ローラ・アイゼンハワー、ジョーダン・セイシャー、レオン・イサック・ケネディなど、アメリカのニューエイジ・カルチャーを代表するような人物ばかりだ。彼らはいずれもユーチューブのチャンネルや最大のニューエイジ系有料ネットテレビ『ガイアTV』、全米で毎日三〇〇万人の聴取者を有する地上波AMラジオ番組『コースト・トゥ・コーストAM』ではスター的な存在なので、彼らの生の声が聴けるとあれば、ファンでなくとも期待するだろう。

ちなみに、登壇する講師もセミナーの参加者も、そして主催者もQアノンの存在に疑念を抱く者はいない。熱烈な支持者も多い。

彼らはQアノンを、今、急速に進みつつある「大覚醒」運動を政治的な側面で担っている覚醒者の一人と見ている。一方、自分たちは政治の側面ではなく、精神的な覚醒を担うために結集したと思っている。彼らが目指す「大覚醒」とは、いったい何だろうか？

セミナーの目玉は、ローラ・アイゼンハワーとコーリー・グッドの二人だ。

ローラ・アイゼンハワーは、欧州派遣連合軍の司令官で、後に第三四代大統領となったドワイト・D・アイゼンハワーの曾孫（ひまご）である。アメリカの支配層の家系、アイゼンハワー家の直系だ。母親のバーバラ・アイゼンハワーは安全保障分野の著名なコンサルタントである。アメリカ政府の高官にアドバイスする立場にある。

そのローラ・アイゼンハワーが、こんなニューエイジ系のスピリチュアルセミナーで何を語るというのだろうか？

「私は『秘密宇宙プログラム（Secret Space Program）』にリクルートされたのです」

秘密宇宙プログラムとは何なのか？

アメリカ政府には地球外生物とコンタクトする秘密の計画があるという都市伝説は聞いたことがあるが、そんな空想（ファンタジー）のような計画にリクルートされたと、アメリカの名門家系の人物が自ら明かしているのである。

しかし、驚くべきは参加者の反応だった。さも当たり前のことを聞いているかのように、全員ほとんど無反応なのである。

ローラ・アイゼンハワーはさらに続ける。

「二〇〇六年のことです。私は秘密宇宙プログラムのメンバーのある男性にアプローチされ、二〇一二年に火星に行くメンバーにならないかと誘われたのです。その当時の私は何も知識がなく、この人物が何を言っているのか理解できませんでした。それでも直観的に行っては

コーリー・グッド（右端）のセミナーの様子

第34代米大統領アイゼンハワーの曾孫、ローラ・アイゼンハワー

ならないと思い、即座に拒否しました」

火星に行く？　――こんなとんでもない話をしても、聴衆は一向に驚く様子はない。

「今では秘密宇宙プログラムの内部告発者、コーリー・グッドなどがいます。私の経験は彼が暴露した情報とピタリと一致しています。すでに人類は火星に行く技術を持っているのですよ。ご存じでしたか？」

ローラ・アイゼンハワーのこんな問いかけを、聴衆は納得した顔で聞いている。

内部告発者コーリー・グッドとは何者か

また、ローラから突然コーリー・グッドなる名が出ても、彼の名を知らない参加者は会場にはいないようだった。いったいコーリー・グッドとは何者だろうか？　彼女の言うように、彼は火星に行くテクノロジーに関する何らかの情報を持っている人物なのか？

「影の政府」や、おそらくその一部門である秘密宇宙プログラムの情報を暴露している内部告発者は多いが、彼らのうち最近になって新しく登場した人物がコーリー・グッドである。現在五〇歳、内部告発者の中では比較的若いほうだ。内部告発者の多くは、情報機関などを退職してから自分の体験を語るので年齢が高くなる。

グッドは二〇一五年七月、『ガイアTV』に出演し、一大センセーションを巻き起こした。アメリカにはニューエイジ系文化のいわば旗手的な存在として、デイヴィッド・ウィルコックという人物がいる。現代アメリカのスピリチュアル文化を代表する人物だ。グッドは、ウィルコックの番組でインタビューを受けた。

二〇一九年四月のセミナーでもグッドはメインスピーカーの一人で、参加者の多くは彼の講演を聴くためにハワイまでやってきていたのだ。

しばらくして、グッドのセミナーが始まった。ビーチからそのままやってきたような明るい色のアロハシャツにサンダルという出で立ちで、モニターの画面を操作しながら話しはじめた。

「一九七六年、六歳の私は、軍の『マイラブ（MILAB）』という秘密組織にリクルートされました。もともとこのプログラムは軍人に超能力などを訓練する組織でしたが、すでに能力の成長に限界がある成人を訓練するよりも、特殊能力に恵まれた子供を訓練したほうが遥かに効果が上がるという判断で、私はリクルートされたのです……」

軍の秘密組織にリクルートされたとは、なかなか興味深い話である。果たしてどんな組織なのだろうか？

「当時、私は小学校に通うごく普通の少年でした。この組織がやってきて私をテストしたのです。すると、私には人の感情を深く読み取り、人の考えていることが解るという特殊能力があることが判明し、正式にリクルートされたのでした」

「マイラブ」とは超能力を訓練するための組織なのか？

「当時テキサス州北部に住んでいた私は、小学校に通いながら訓練が続けられました。週に二回から三回、白いバンがやってきて、私を含む数名の子供たちは近くにある『カールズウェル海軍航空隊基地』の施設に連れて行かれたのです。投薬を含む、さまざまな訓練を経験しました。私の両親は、才能のある子供の訓練プログラムとして受け入れていたのです」

米軍には公（おおやけ）にされていない様々な組織があるとは聞いていたが、こんな組織があることは知らなかった。グッドが続ける。

「訓練の内容は、ＤＮＡを変化させるための生化学的な操作だったり、電磁場を通過することで脳力を活性化させたり、また、瞑想を通して異なった現実の存在を知り、それらを操作できるようにする訓練でした。さらに将来、秘密宇宙プログラムのどの部署に配属されるべきかを決定するために、私の心理学的なプロファイリングが行なわれました」

この話は本当なのか？　会場に集まっている人々は、頭のいかれたオタクの集まりではないだろうか？

しかし、そんな風にはまったく見えない。聴衆は至って真面目な一般のアメリカ人たちだ。トランプが毎月各地で行なう支援集会に集まって気勢を上げているQアノン支持者たちよりも、ずっとまともな人たちに見える。

グッドのプレゼンは続く。

「訓練は一〇年間続きました。人間のみならず地球外生物や、異次元に存在しテレパシーで交信する目に見えない存在などの意図を感じ取り、早期に危険を察知する能力を私は訓練されたのです。私たちのチームの成績は非常によく、メンバーはそれぞれ異なった極秘分野のプロジェクトに配属されました。私の配属先は『秘密宇宙プログラム』でした。

ちなみに、『マイラブ』で訓練された全員が秘密宇宙プログラムに配属されたわけではありません。このうち数人は、私たちが『シンジケート』と呼ぶ分野に配属されました。シンジケートとは要するに『イルミナティ』のことです」

どうも話が相当に怪しくなってきた。これは果たして、まじめな話なのだろうか？　グッドは淡々と自分の体験を述べているように見えるが……。

「イルミナティには目的の異なるさまざまなグループが存在し、競合関係にあります。それでも特定の目的の実現のために相互に協力することもあります。私は一七歳で訓練を終え、秘密宇宙プログラムへの配属が正式に決まりました。このとき多数の契約書に署名させられました。私はさまざまなプロジェクトに関わりました。その一つは、ＵＦＯの墜落などで捕獲した地球外生物の尋問で、その生物が真実を語っているのかどうかを直観的に判定する役割でした。この仕事に六年間たずさわった後、私は探査宇宙船に配属されました」

話はあまりに奇想天外だが、グッドは至って真面目に語っている。

「地球外生物はかなりの種類が地球にやってきています。昆虫から進化したものもあれば、質量が希薄な種族や、逆に人間よりも質量のある種族もいます。また、人間と全く見分けのつかない種族も多い。地球外生物が地球にやってくるときは、彼らが遵守しなければならない規約があります。規約に違反した地球外生物を収監する刑務所もあるのです」

●「秘密宇宙プログラム」を構成する極秘組織

もはや奇想天外を通り越し、究極のトンデモ系の話にしか聞こえない。

ハワイ島コナで開催された「コズミック・ウェーブス」はいわば特殊なイベントで、ほんのひと握りのディープなオタクの集まりなのではないかと思いたくなる。

しかしそうではないことは、ネット検索するとすぐにわかる。グーグルで「Corey Goode（コーリー グッド）」を検索すると、何と二七〇万件がヒットする。「QAnon（Qアノン）」の三五二万件には及ばないものの、ちょっとした人気芸能人よりよほど多い件数だ。また、ユーチューブなどの動画だけでも二〇万件はヒットする。グッドは全米各地で開催されるセミナーに引っ張りだこなのである。

こうして見ると、グッドの発信する情報は、社会から孤立したマイナーな集団の間だけに流通しているファンタジーではなく、Qアノンに匹敵する規模の社会現象になっているようだ。

グッドの支持者たちは、グッドもQアノンと同じように、今、アメリカで起こっている「大覚醒」運動の非常に重要な要素として見ているのだ。

セミナーでグッドは「秘密宇宙プログラム」の実態についても語っている。

「秘密宇宙プログラムは単一の組織ではありません。相互に関係の薄い複数の巨大組織の集合体で構成されています。それらの組織は巨大なのです。そうした組織はそれぞれ異なった地球外生物と協力関係にあり、高度なテクノロジーの提供を受けています。それらの組織は次の六つです。

①ソーラー・ワーデン（Solar Warden）：レーガン政権の『スターウォーズ計画（SDI）』から始まった組織。もっとも古い組織のひとつ。『太陽の監視人』とも呼ばれています。

②惑星間共同複合企業（ICC）：世界の主要企業が組織する共同企業体。各企業が取締役会の代表を派遣。秘密宇宙プログラムの惑星間のインフラ建設を担当。

③ダーク・フリート（Dark Fleet）：極秘の軍事組織は複数存在しますが、『ダーク・フリート』はこれらを統括する上位組織。太陽系外で活動している宇宙艦隊。

④グローバル・ギャラクティック国家連合：外宇宙で人類が行なっている活動の秘密を守るための組織。国連のような国際組織で、それぞれの国が宇宙計画のある部分を担当しています。

⑤地球同盟（Earth（アース） Alliance（アライアンス））：前出④の組織のうち、地球の政治経済システムを支配し、人類のコントロールを目指すグループがあります。我々が『シンジケート』と呼ぶ組織です。こちらでは『イルミナティ』と呼ばれています。こうしたグループは一つではありません。それぞれが異なったアジェンダを持ち、活動しています。地球同盟は、こうした闇の勢力を

ソーラー・ワーデン（Solar Warden）のイメージ

打倒し、新たな経済システムを形成することを目標にする組織です。G20のロシアと中国が中心的な勢力です。

⑥秘密宇宙プログラム同盟（SSP Alliance）：元はソーラー・ワーデンを脱退したグループが結成した組織です。その後、他の組織の脱退者が参加し、組織として拡大しました。人類には極秘にされている秘密宇宙プログラム全体を全面的に公開し、人類の問題を解決するために、秘密宇宙プログラムと地球外生物が持つ高度なテクノロジーを利用すべきだと主張する組織です」

それにしても途方もない話に聞こえるが、グッドのプレゼンは始まったばかりだ。これから核心部分へと向かうわけだが、まずは秘密宇宙プログラムを辞めた経緯について語っている。

「私は二〇年間、『ソーラー・ワーデン』に〝直観的エンパス〟と呼ばれる地球外生物の尋問官として勤務した後、契約期間が満了となったので除隊しました。三七歳になっていましたが、年齢退行技術を使って『ソーラー・ワーデン』に配属されたときの一七歳当時の自分に戻ったのです。これは肉体が若返るだけではなく、時間を逆行させ、私が勤務を開始した一九八七年当時に実際に戻ることを意味していました。すでにそのような時間逆行の技術は存在し、頻繁に使われているのです。

そのとき、記憶は全て消去されてしまいます。契約書には、除隊後は学費免除で大学に通い、卒業後は良い仕事を斡旋すると明記されていました。でも、そうした厚遇は一切ありませんでした。というのも、時間を逆行するときに『秘密宇宙プログラム』での勤務の記憶は全て消去されてしまうため、契約の履行は必要ないと考えられているからです。

しかし、私は直観的エンパスという特殊な仕事のためか、記憶を失うことはありませんでした。私は『秘密宇宙プログラム』に配属された一九八七年のある日の朝に戻っていたのです。一七歳の肉体の私は、自宅のベッドに寝ていました。起き上がろうとすると凄まじい目眩(めまい)がして、すぐには立ち上がることが出来ませんでした。

その後、私は普通の市民生活に戻りました。教育を受け、結婚し、家庭を持ち、安定した仕事に就いていました。ＩＴセキュリティー専門の技術者として一〇〇万ドルを超える年収を得ていました。生活には満足しており、何の問題もありませんでした」

内部告発者としてリクルートされた経緯

「ところが二〇一四年、私は先の六番めの『秘密宇宙プログラム同盟』から、内部告発者となるようにと突然リクルートされたのです。他の組織がそれぞれ異なった地球外生物と協力関係にあるように、秘密宇宙プログラムの公開を目標とする『秘密宇宙プログラム同盟』も特定の地球外生物の支援を受けています。その地球外生物は〝ブルー・エイビアンズ〟と呼ばれる存在です。彼らはどの地球外生物とも大きく異なった特徴を持っています。

ある晩、床に就こうと寝間着に着替えていると、ブルーの光のようなものが目の前に現われました。私は、秘密宇宙プログラムであらゆる地球外生物を見慣れていたので驚きませんでした。両手を広げて『どうぞ』の身振りをすると、私は大きなステージのような場所にワープしたのです。私の周囲には様々な制服を着た人々がいて、私を見下ろすように取り囲んでいました。あらゆる人種がいるようでした。彼らは『秘密宇宙プログラム同盟評議会』のメンバーでした。

そこでは私は〝代理人〟とか〝選ばれし者〟と呼ばれていました。そのとき私はNASAのロゴが入った帽子を被っていました。家族と観光旅行した際に購入したのですが、偶然、それを被っていたのです。すると評議会のメンバーの一人から、『なんだ、その帽子は！すぐに取れ』と怒鳴られました。私は帽子を取りました。そして、『なぜ、こいつなんだ！』という否定的な反応がありました。すると、ブルー・エイビアンズが登場したのです。彼は『ラー・ティエー』と名乗りました。周囲のメンバーは彼を深く尊敬している様子でした。

私は見ての通り、コミュニケーションが苦手でカリスマ性もありません。ブルー・エイビアンズが言うには、かつて情報公開のために三人の人物を選んだものの、全て失敗してしまったそうです。それというのも、選んだ人物はみなカルト教団の導師（グール―）のような精神状態になり、情報公開が進まなかったからです。だから今回は、そのような危険性のない人物を特

コーリー・グッドと「第6密度に存在する青い鳥族」とされる
ブルー・エイビアンズのイメージ

に選んだということでした」

●――人類の進化を支援する「ブルー・エイビアンズ」

グッドが「ブルー・エイビアンズ」の名前を出すやいなや、会場はシーンと静まり返った。何か魔術的な言葉がそっと語られ、秘教の儀式でも始まったかのような雰囲気だ。みな固唾を飲み、壇上のグッドに釘付けになっている。聴衆のほとんどが、ブルー・エイビアンズのメッセージを聴くために集まったのは明らかだった。

グッドが続ける。

「ブルー・エイビアンズは人類の進化を支援するためにやってきました。私たちは第三密度（三次元）にいますが、ブルー・エイビアンズは第六密度（六次元）という非常に精神性の高い世界からやってきた生物です。まず、人類は第四密度に進化しなければなりません。それは、強い自我と権力志向の現在の人類よりも遥かに高い段階の精神性です。

人間には誰しも肯定的な精神性と否定的な精神性がありますが、それらの間にはちょうどよいバランスがなければなりません。五一％の肯定的な精神性は、他者のために尽くすことに充てられなければなりません。そして否定的な精神性の九五％は自分を満足させるために使われなければならないのです。このバランスはとても重要です。このバランスが実現すると、一人ひとりの人間は第三密度にとどまりたいのか、それとも第四密度へと進化するかの主体的な選択が可能になるのです。

ブルー・エイビアンズによると、太陽系は〝局所恒星間雲〟というエネルギーの強い銀河系のエリアに突入しました。そのため、太陽系内に入ってきたプラズマエネルギーの作用で、この選択が可能となる期間は相当に短縮されています。現在の人類の低い精神性では、この強いエネルギー放射には耐えられません。そのためブルー・エイビアンズは、太陽系内に不可視の球体を配置し、エネルギーの放射をブロックしました。

しかし、二〇一六年にエネルギーの放射を堰き止める球体のブロックの一部を解除したので、強いエネルギーが太陽系内に侵入するようになっています。これにともない、人間の本性がいっそう露わになる時期に入りました。抑圧しているネガティブな性格が強い人間ほど、このエネルギーの放射には耐えられなくなるでしょう。そして、二〇二三年か二〇二四年になると、太陽系は局所恒星間雲に入っているので、強いプラズマエネルギーの影響で、太陽は巨大なフレアを放出します。このフレアの放出がきっかけとなり、人類の精神的な進化は本格的に始まるのです。私たち一人ひとりは、進化したいのかどうか、この時期に選択しなければなりません」

グッドはこのように言って、講演のパート1を終えた。

その後に行なわれたパート2のプレゼンでは、宗教や各地の伝統文化の終末予言を紹介し、これらの予言が伝える終末こそ、二〇二三年から二〇二四年の太陽フレアの直撃で始まる、第四密度に向けての精神的な進化だとした。

●——「ブルー・エイビアンズ」カルトと「大覚醒」

以上、コーリー・グッドのプレゼンは終わった。

その後は聴衆との質疑応答が始まった。やはり聴衆の質問は、ブルー・エイビアンズと二〇二三年か二〇二四年にやってくるという人類の精神的な進化に集中した。

第四密度への進化に自分が選ばれるためには何が必要になるのか？　どんな食生活を心がければ進化できるような精神性を獲得できるのか？　どんな生活をすれば進化できるほうへと選ばれるのか？　ブルー・エイビアンズに会いたいのだが、どうすれば会えるのか？　……等々の質問が引っ切りなしに寄せられた。

グッドはこれらの質問にてきぱきと答え、そのつど聴衆は満足した表情とともに熱い視線でグッドを凝視した。その姿は、さながらグッドがブルー・エイビアンズ・カルトの教祖にでもなったかのような雰囲気だ。

そして驚くべきは、あるアジア系と思える女性の質問だった。

「私の友人の一人は、本当にブルー・エイビアンズに会ってしまったのです。その後、彼女の人生は根本的に変わりました。ブルー・エイビアンズの導きは凄いと思います。私も早く覚醒したいと思います」

こうした発言にもグッドは驚いた様子も見せず、ブルー・エイビアンズの導きがどれほどの意識の進化と「大覚醒」を引き起こすのかを淡々と語った。聴衆は身を乗り出すようにして聴き、狂喜した。

コーリー・グッドおよびグッドの無数のフォロワーは、今、人類は「大覚醒」の時期にいると口を揃える。「大覚醒」とは、グッドのように秘密宇宙プログラムの秘密を暴き、人類が有する高いテクノロジーの真実を明らかにすること。また地球をコントロールし、人類を奴隷化している真の支配者の姿を暴き、その数千年にわたる支配から解放されること。そして、ブルー・エイビアンズの導きに従って、第四密度へと意識が進化することなのだ。

グッドが率いるこうしたブルー・エイビアンズのフォロワーから見ると、Qアノンの政治運動は、宇宙的な進化の時期を迎えている「大覚醒」の政治的分野における現われとして映る。もちろん、グッドのフォロワーのほとんどはQアノンの熱烈な支持者でもある。

二〇一六年の大統領選挙とともに始まったトランプ旋風は、白人至上主義者やネオナチなど、これまでのアメリカ社会で抑圧されてきた闇の部分を解き放った。それは南北戦争を思い起こさせるほど、アメリカ社会を分裂状態に追い込んでいる。トランプは〝パンドラの箱〟を開けてしまったのだ。

しかし、箱から跳び出てきたのは白人至上主義やネオナチだけではない。Qアノンが主張する「アメリカ第二革命」を希求し、意識の宇宙的進化を確信し、人類の真実に気づく「大覚醒」を解き放った感がある。キーワードは「大覚醒」だ。次章ではその現われを見てみよう。

第三章◉暴露されたグローバルエリートの「小児性愛嗜好（ペドフィリア）」

「国家規模の改心」を求めるアメリカ国民

二〇一六年の大統領選挙の年を起点として、アメリカはまさに狂ってしまったかのような状況になっている。白人至上主義やＫＫＫ（クー・クラックス・クラン）、ネオナチなど、社会の周辺部に細々と存在していた暗い思想や集団が一気に社会の表面に姿を見せ、津波のような運動となってアメリカ社会の既存の常識を押し流している。

トランプはパンドラの箱を開けたのだ。これはアメリカ人の精神に、消すことの出来ない痕跡を残すことは間違いない。

しかし、社会を一方向へと追いやる極端な運動は今に始まったことではない。アメリカには、歴史のサイクルのように繰り返されてきた宗教運動があった。それが本来の「大覚醒」運動である。

アメリカ人の一般的なメンタリティーは徹底して物質主義的であり、資産と所得の大きさで人物を判断するのが常識となっている。このような社会では、過剰に消費的で金ピカなライフスタイルを追求する成功者が多い。ニューヨークの五番街に巨大な「トランプタワー」を所有するトランプ大統領などは、その典型だ。

こうした過度に物質主義的アメリカでは、ときとして生き方を正しい方向へと改めたいと望む精神的な渇望が間欠泉のように噴き出し、宗教への回帰運動が起きる。つまり、極端な物質崇拝で精神の平安を崩してしまった人たちが、対極にある深遠なスピリチュアル性を希求するということだ。それは「人間が神の王国へ迎え入れられる」ということである。そのためには、自らが犯した罪を悔い改め、今までの物質主義的な生き方を根本から変えなければならない――。

こうした運動は、アメリカ独立以前の一七五〇年代から現在までに四回起こったとされている。そのつど新しい宗派が誕生し、大きなブームとなった。

もちろん、トランプを熱烈に支持するQアノン支持者やコーリー・グッドのアセンション（次元上昇）思想の支持者は、過去にあった「大覚醒」運動のように、宗教的な改心を主張しているわけではない。また、〝パンドラの箱〟から跳び出した白人至上主義者やネオナチにしても、改心を志向しているわけではない。

だが、今回の「大覚醒」運動が過去の運動と共通する点があるのも事実だ。それは、本来の軌道を逸れ、グローバルエリートが一般国民を奴隷のように支配している寡頭政治のアメリカを、元の軌道に引き戻そうとしていることだ。いわば「国家規模の改心」である。

アメリカの本来の姿とは、国民が政治の支配権を掌握する共同体としての国家だ。それがQアノン支持者の考える「大覚醒」運動である。

したがって、現代の「大覚醒」は、既存の支配層の実態を暴き、彼らから権力を取り上げる運動となる。まずはエリート層がどのようにアメリカ国民を食い物にしてきたのか、その実態を暴くことが第一歩となる。

すでにQアノンが出現する前から、どうしようもない格差と、それを全く解決できない民主主義の機能不全を体験してきた人々は、エリートの悪事を徹底して暴き、彼らを断罪したいという欲求が臨界点にまで達していた。

こうした欲求は、グローバリゼーションによる生産拠点の海外移転で仕事を失って貧困化した労働者層や、リーマンショックがもたらした長期の不況で定職を得られなかったミレニアル世代（二〇〇〇年代に成人や社会人になった世代）に顕著だ。

そしてそうした強い欲求は特定の社会階層にとどまらない。金融産業に過度に依存し、極端な富裕層に支配された現代のアメリカに民主主義の根本的な危機を感じているあらゆる階層で広く共有されたのだ。

かつての共和党の支持層は、製造業の拠点だった「ラストベルト」の各州と、キリスト教原理主義の福音派の「バイブルベルト」を併せて全人口の〝一六%〟を占めていたのだが、ワシントンのエリート層の一掃を宣言して勝利したトランプの支持率は〝四〇%〟なのである。それほどエリート支配への怨念と憤怒が広く共有されていたということだ。ほんの些細なきっかけさえあれば、エリート弾劾への欲求が爆発する寸前まで迫っていたのである。

エリート弾劾に火を点けた些細なツイート

その些細なきっかけが、二〇一六年一〇月三〇日の投稿だった。

アメリカには、日本の「2ちゃんねる」系にあるような投稿が、コントロールされずに掲載される掲示板が複数ある。「4Chan」、「8Chan」、「8kun」、「Redit」などの掲示板だ。ツイッターも同じような使い方をされている。

Qアノンの投稿も「4Chan」から始まった。その後、サイトが外部からハッキングされたので「8Chan」に移動し、今はそこも閉鎖されたので「8kun」に投稿されている。

まったく規制されることなく投稿できるこうした掲示板には、エリート層への怨念と憤り、怒りが集中的に投稿され、瞬く間に共有される傾向があった。エリート層の秘密を暴いた話題などは、それが事実であるかどうかにかかわらず拡散され、多くの投稿者の手を介して、真実味のあるストーリーへと洗練されていった。いわば掲示板は、現代の世論と世界観が形成される場となったのだ。

二〇一六年一〇月三〇日、自称弁護士のデビッド・ゴールドバーグという人物が次のようなツイートをした。

「フーマの電子メールはペドフィリアのネットワークの存在を示しており、その中心にいるのはヒラリー・クリントンだという噂がニューヨーク市警にはある」

ツイートのハッシュタグは、「#GoHillary」と「#PodestaEmails23」であった。この小さなツイートがのちに、「ピザゲート」や「ペドゲート」と呼ばれ、アメリカのみならず世界を揺るがすアメリカのエリート弾劾キャンペーンに火を点けることとなった。

◉――ロシアゲートと漏洩されたメール群

なぜ、こんなツイートがエリート弾劾キャンペーンに火を点けることになったのか？　その背後には、いわゆる「ロシアゲート」問題がある。

これはロシア政府が、ロシアとの関係改善に積極的なトランプ候補を勝利させるために、民主党全国委員会（DNC）のサーバをハッキングして、クリントン候補に打撃を与えるような文章を盗み出したという疑惑だ。二〇一六年一〇月から一一月にかけての時期である。

発端はDNCのデビー・ワッサーマンシュルツ委員長が、クリントンに競合するバーニー・サンダース候補の選挙活動を妨害していた事実の暴露だった。その後一〇月からは、クリントンの選挙対策部長であるジョン・ポデスタのメールがハッキングされ、暴露された。

これらの情報は全てジュリアン・アサンジの主宰する「ウィキリークス」を通してリークされ、クリントン陣営に大きな打撃を与えた。ワッサーマンシュルツ委員長は辞任を迫られ、クリントンの選挙活動も大きく勢いを殺がれる結果になった。

さらにポデスタのメールは、クリントンが金融機関から法外な報酬を得て講演をしていたこ

https://wikileaks.org/podesta-emails/emailid/32795

Did you leave a handkerchief

From:ses@sandlerfoundation.org
To: john.podesta@gmail.com
CC: eryn.sepp@gmail.com
Date: 2014-09-02 17:54
Subject: Did you leave a handkerchief

Hi John,

The realtor found a handkerchief (I think it has a map that seems pizza-related. Is it yorus? They can send it if you want. I know you're busy, so feel free not to respond if it's not yours or you don't want it.

Susaner

Susan & Herb
I just came from checking the Field house and I have a square cloth handkerchief (white w/ black) that was left on the kitchen island.
Happy to send it via the mail if you let me know where I should send it.

リークされたジョン・ポデスタのメール

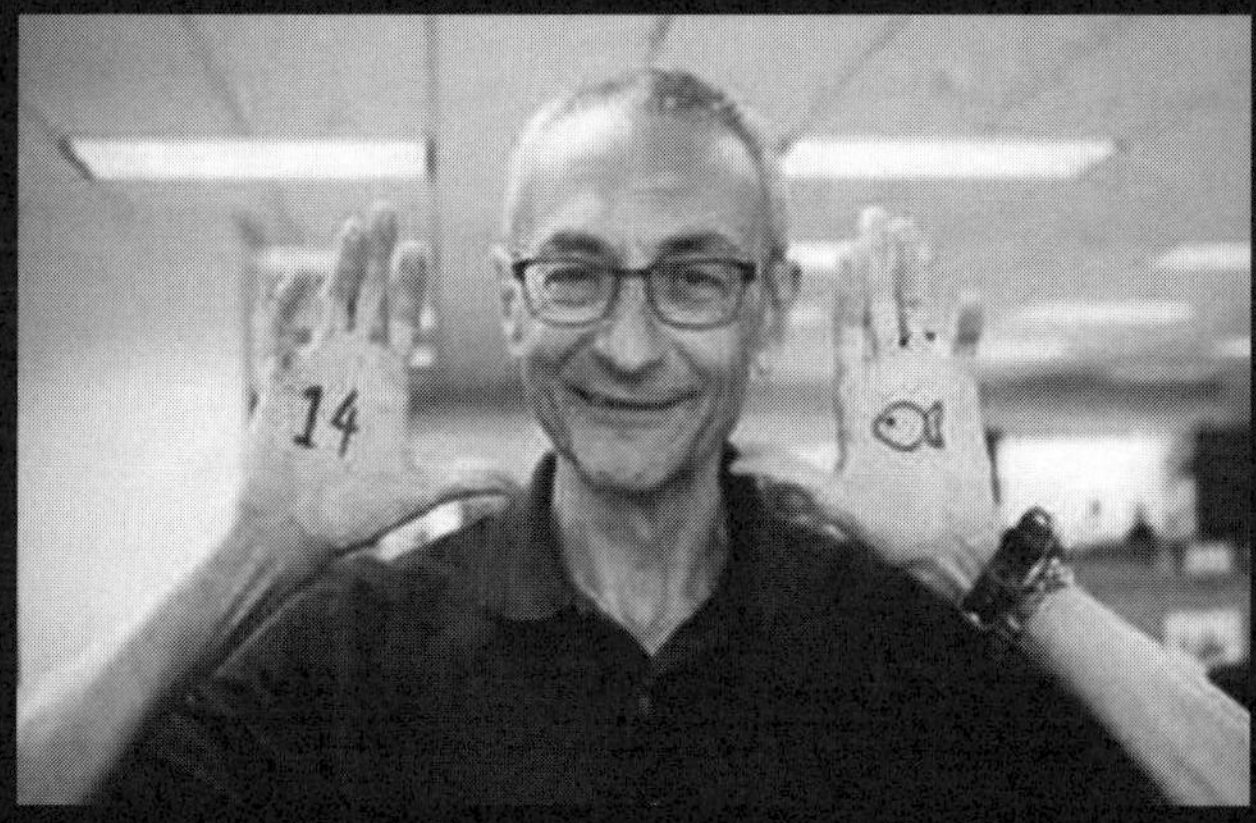

ヒラリーの選挙対策本部長だったジョン・ポデスタ

兄のトニー・ポデスタ(左)
とジョンの兄弟

トニー・ポデスタのペドフィリア絵画のコレクション

となどの闇の部分を明るみに晒し、彼女の政治家としての信頼を大きく失墜させることになった。これがクリントンの選挙キャンペーンに致命的な打撃となったことは間違いない。

こうした情報をハッキングし、ウィキリークスに漏洩（リーク）したのがロシアであり、それはプーチン大統領の指揮で遂行されたというのである。

二〇一六年一二月一七日、ワシントン・ポスト紙はCIA長官ジョン・ブレナンが、「私は今週初め、FBI長官ジェームズ・コミー、そして国家情報長官ジェームズ・クラッパーと個別に面会したが、わが国の大統領選へのロシアの介入の範囲、性質、目的について強い見解の一致をみた」と報じている。

CIA長官のこの発言によって「ロシア犯人説」は確定した。アメリカ大統領選がプーチン大統領の指示で行なわれた大規模なハッキングによって妨害されたためにトランプが勝利したとする認識が一般化したのだ。だが二〇二〇年になっても、ロシアがハッキングしたという確かな証拠はない。

イギリスの大手紙デイリー・メールは、イギリスの元駐ウズベキスタン大使であったクレイグ・マレーの証言を掲載した。マレーはウズベキスタン政府の人権弾圧に抗議したためイギリス外務省を辞めさせられた人物だ。今はジュリアン・アサンジの盟友として、リークされた情報をウィキリークスに提供する立場にある。

二〇一六年九月、マレーはDNC内部で働く人物から情報をリークしたいとの連絡を受けた。

この人物には、DNCがサンダースの選挙活動を妨害していること、そしてクリントン陣営があまりにも腐敗していることへの強い抗議の念があった。

マレーは首都ワシントン郊外にあるアメリカン大学の近所で情報を受け取った。持ってきたのは、情報をリークした人物の代理人であった。

この証言が掲載された後、ジュリアン・アサンジもFOXニュースに登場し、ウィキリークスがリークしたクリントン陣営の情報はロシアのハッカー集団から渡されたものではなく、DNCの内部関係者からのリークであると明言した。

現在では、当時DNCに勤務していたセス・リッチという二七歳のIT技術者が、クリントン陣営の腐敗に憤ってリークしたのではないのかという説が有力である。

解読されたメールでついに爆発した怒り

最大の焦点は、リークされたクリントンとポデスタのメールの凄まじい内容だ。

メールには、サウジアラビアの一部勢力がテロ組織「イスラム国（IS）」に資金援助をしている事実を知りながら「クリントン財団」がサウジアラビアから二五〇〇万ドル（約二七億円）もの巨額の献金を受けていたことなど、民主党の腐敗を示すものが多くあった。

しかし、メールを読む者を心底怒らせたのは、そうした政治的スキャンダルではなかった。

メールを見ると、「オバマは六万五〇〇〇ドル相当の『ホットドッグ』をシカゴに輸送する」、

「ポデスタが『ピザ』に関係する地図の上に『ハンカチ』を置き忘れた」、「アメリカ司法省の子供の人身売買の取締官が、チーズを増量したハイチ製『ピザ』を要求している」、「ジョン・ポデスタは同僚の七歳、九歳、十一歳の娘たちと一緒に風呂に入るのを楽しみにしている」……等々、「ピザ」、「ホットドッグ」、「ハンカチ」、「ソース」などの単語が明らかに隠語として使われた、かなりの数のメールが発見されたのである。

そして投稿サイトの「4Chan」などを中心に、これら謎めいたメールの意味を解読する動きが始まった。リークされたメールに登場する人物のインスタグラム、フェイスブック、ツイッターを徹底的に調べたところ、そこには子供用の棺桶、性器を露出させて縛られた三歳児、「低能の売女」と書かれた乳児、値札を付けられた乳児などのおぞましい画像のほか、幼児をレイプするギャングを描いたアート作品やペドフィリア（小児性愛）の嗜好を大ぴっらに語るロック・バンドなどの画像があり、ペドフィリアのシンボルと思しきものに溢れていたのだ。

これらの投稿をしている政治エリートはみな、民主党の関係者だった。そして、ワシントンで影響力を持つ熱烈な民主党員ジェームス・アルファンティスが経営するピザレストラン「コメットピンポン」が、ペドフィリアのための幼児を調達する中心的な場所である可能性が高くなったのである。

先のデビッド・ゴールドバーグのツイートは、リークされた民主党のエリート層のメールから明らかになったペドフィリアを示唆する最初のツイートとなった。

すでにエリート支配へのアメリカ国民の怨念と憤りが臨界点に達していた状況では、ペドフィリアは彼らを断罪する格好の口実になった。

ペドフィリアにはどんな言い訳も成り立たない。無防備な小児を性の対象にするなど、およそ人間の所業ではない。こんなことをする者は地獄の業火で焼かれてもおかしくない。一切の情状酌量の余地はない。そうした純粋な怒りが爆発した。

しかも関わっている人間は、アメリカの民主主義を機能停止させ、金融産業や国際資本に国民の国家であるはずのアメリカを売り払った、クリントンをはじめとする政治エリートたちなのだ。こいつらを徹底的に殲滅しなければ、アメリカの未来はあり得ない。「4Chan」、「8Chan」、「Redit」のほか、フェイスブックやツイッターでも激しい怒りの狼煙(のろし)が上がった。

●ジェフリー・エプスタインの小児性愛(ペドフィリア)人脈

アメリカを崩壊させている政治エリートが、ペドフィリアのネットワークを形成しているという疑惑は、ジェフリー・エプスタインという人物の行動で確たる事実となった。もはや疑惑や憶測の段階ではなくなったのだ。

大手投資銀行ベア・スターンズの出身で、自らヘッジファンドを立ち上げて億万長者となったエプスタインは、ウォール街の大物の一人としてクリントンやトランプなど内外の政財界の主要人物と繋がる人脈を築いていた。

しかし、エプスタインの名前を一躍有名にしたのは経済活動ではない。彼はペドフィリアの熱烈な愛好者で、一四歳や一五歳といった年齢の少女と頻繁に性交渉を繰り返していた。そして二〇〇五年、被害に遭った一四歳の少女の証言がきっかけで二〇〇八年に逮捕され、刑務所に一三カ月間収監された。エプスタインは筋金入りのペドフィリアだったのだ。

また、エプスタインはフロリダ州沖のバージン諸島に島を個人所有しており、少女との性交渉を行なう専用の場所として利用していた。さらにエプスタインにはペドフィリア用の少女を金で集めてくる専任スタッフがいて、常時必要な人数の少女が確保され、性交渉させられていた。その総数は一〇〇名前後にのぼる。

こうした事実は被害者の少女の証言から明らかになり、二〇一九年六月にエプスタインは再度逮捕され、収監された。しかし八月一〇日には独房で死亡しているエプスタインが発見された。自殺と見られている。

問題はここから始まる。

エプスタインの所有するペドフィリアの島には政財界の多くの著名人が訪れていた。そうした人々の中には、クリントン元大統領やイギリス王室のアンドリュー王子までが含まれていたのだ。それらを証明する写真も多数発見されている。

ジョン・ポデスタのメールのリークなどから、アメリカを国際資本に売り渡した売国奴のエリート層が、実はペドフィリア愛好者のネットワークに属しているのではないかとの疑惑を信じ、怒りに震えていた人々はエプスタインの事件に飛びついた。

やはりアメリカ政界のエリートたちはペドフィリア主義者であり、許しがたい罪を犯しているることが確定したのだ。こうした連中全員を政界から一掃しない限り、アメリカの再生はないと固く信じたのである。

この呪詛のような激しい怒りは、「4Chan」、「8Chan」、「Redit」、フェイスブック、ツイッターなどのSNSで炸裂し、凄まじい勢いで拡散された。

ペドフィリアは、魂が腐りきった鬼畜のようなエリートと、そうではない一般国民とを分ける決定的な行為となったのである。

●――Qアノン出現の奇跡的タイミング

このように、アメリカ国民のエリート層に対する怒りが臨界点に達していた時期に、突然現われたのがQアノンだった。投稿が始まって一カ月も経たない時期にQアノンは以下のような投稿をしている。

【二〇一七年一一月一二日：Qアノン投稿】

「飲み込むのは難しい

前に進むことが重要だ

ジェフリー・エプスタインと少女

イギリス王室のアンドリュー王子

エプスタインが所有していたバージン諸島の島にある神殿

エプスタインの島の施設に置かれたオブジェ

人形使いは誰なのか？
サウド王家（６＋＋＋）
四兆ドル＋ロスチャイルド（６＋＋）
二兆ドル＋ソロス（６＋）
一兆ドル＋上に注目（３）
公的な富の開示？
間違いだ。多くの政府は「目」を養っている
裏金を考えよ（養うもの）
戦争を考えよ（養うもの）
環境保護政策を考えよ（養うもの）
三角形は三つの側面を持つ
神の目
血統を追え
要は何だ？
サタンは存在しているのか？
誰がサタンを崇拝するのか？
カルトとは何だ？

エプスタインの島
神殿とは何か？
神殿で何が起こっているのか？
祈りか？
なぜ、神殿は山の頂上にあるのか？
ドームの上の色、デザイン、そしてシンボルの重要性は何か？
神殿の地下にはどのくらいの階があるのか？
なぜ、これが重要なのか？
人形使いは誰なのか？
人形使いは、エプスタインのこの島に行ったことがあるのだろうか？
いつ？
どのくらいの頻度で？
〝ウラジミール・プーチン：ニュー・ワールド・オーダーはサタンを崇拝する〟　Q」

Qアノンらしく実に謎めいており、一読しても何を言いたいのか解らない。
だが投稿は、読んだ者にリサーチするように促し、散りばめられたキーワードを検索すると隠された情報が明らかになるという、いつものスタイルで書かれている。

投稿から見えてくるメッセージとは、以下のようなものだ。

「影の支配者は、サウド王家、ロスチャイルド家、そしてソロス家だ。各国の政府は、裏金で『目』をシンボルに持つ結社（イルミナティ）を養っている。環境政策の予算がこれに使われている。彼らはみな、サタンを崇拝している。エプスタインの島には、特徴的な色彩とデザイン、シンボルを散りばめた神殿がある。それは山の上にある。神殿には何層もの地下の階がある。人形使いである支配者は、ここに頻繁にやってくる。プーチンをはじめ、ニュー・ワールド・オーダーの支配者はサタンを崇拝している」

おおよそ、このようなメッセージだろう。二〇一八年に二人の調査ジャーナリストがエプスタイン島に潜入し、施設をビデオ撮影してユーチューブで公開した。

現在では無人島のようだが、芝生の手入れは定期的に行なわれているように見えた。そして、確かに島の丘の上には奇妙な神殿があり、周囲には写真のように悪魔崇拝のシンボルか何なのか、儀式で使われたと思われるようなものがあった。

Qアノンの投稿と、その後に敢行されたエプスタイン島の潜入取材は、ジョン・ポデスタのメールでエリート層のペドフィリアの実在を確信しつつあった人々の怒りをさらに強く駆り立てた。

まったく無防備な子供たちがエリートの性の消費対象になっている！　現在のアメリカを支配しているエリートは、とうてい人間とは思えない輩（やから）なのだ！　革命を起こして、彼らをワシントンから完全追放し、法の裁きを受けさせなければならない！　一連のペドフィリア情報に接している者たちはみな、本気で切迫感を抱くようになった。

普通であれば、「アメリカ政財界のエリートがペドフィリアを行なっている」という投稿があっても、誰もまともには取り合わないだろう。しかし、ウィキリークスで公開された民主党のヒラリー・クリントンとジョン・ポデスタのメール、その後のQアノンの投稿、そしてその内容の一部を裏付けるようにジェフリー・エプスタインが再逮捕され、彼の政財界に及ぶネットワークも表面化した。

これらは明確にエリートたちの犯罪的なペドフィリア嗜好の露見として受け入れられ、隠蔽（いんぺい）されてきた事実としてリアリティーを持ったのである。

暴露されたおぞましい秘事とトランプの登場

この途方もない状況を打破するためには、ワシントンに乗り込み、政界を根本的に浄化する大統領の出現に期待するしかない。その人物にこそ革命を託す以外ない。

ネットを情報源とする多くのアメリカ人がこうした思いに駆られているとき、図らずも出現した大統領がドナルド・トランプだったのだ。彼は就任演説で「ワシントンを浄化する」と約束した。

「とうとう革命が始まった！」「これからエリートたちの浄化が始まる！」

Qアノン支持者は狂喜乱舞し、気炎を吐いた。
その後もQアノンのエプスタインに関する投稿は続いた。秘密が暴露され、裏で何が進行しているのかを伝えるメッセージがもたらされたのだ。

【二〇一八年四月四日：Qアノン投稿】
「なぜ、エプスタインは島の神殿の地下にあるトンネルを埋めるために、二九〇〇万ドル〈約三二億円〉も遣ったのか？
問題だ。携帯の持ち込みは許可されていた
彼らはバカだ　Q」

この投稿は、エプスタイン島でのエリートたちの行動を、携帯電話の盗聴などによってQアノンが全て把握していたことを匂わせている。やはりQアノンこそが、トランプがアメリカを国民の手に取り戻すべく始めた「アメリカ第二革命」のホワイトハウス内の担い手の一人と思わせるのだ。
さらに続く。

【二〇一八年四月六日：Qアノン投稿】

「エプスタインの飛行機
彼女は誰だ?
友だちを追え
友だちは他の人々に導く
オープンソース　Q」

写真の男はビル・クリントンではないのか?　これは、明らかに航空機の機内で撮られた写真だ。横にいる一〇代後半のように見える少女は誰なのか?　この飛行機はエプスタインのプライベートジェットなのか?

やはり、クリントンもペドフィリアの愛好者だった。Qアノンは全てを知っている。エリートは追い詰められている。ペドフィリアの存在を確信する者たちは、さらにいきり立った。

【二〇一九年三月一四日：Qアノン投稿】

「これは性の人身売買だけではない（1）
金と権力を持つ者は、起訴を止めさせるために裁判所に圧力をかけるのか?
二都物語：（1）
セックスリゾート（神殿ではなくリゾートだけ）

Qアノンの投稿記事に添付された
ビル・クリントンと写真家レイチェル・チャンドラー

薬浸けにされ、人身売買された年端のゆかない少女たち（2）
オカルト／悪魔の崇拝（神殿）
（CLAS 1-99）ハイチ
被害者のために祈れ　Q」

この投稿を見ると、エプスタイン島の人身売買された少女たちはハイチから送られたのかもしれない。そしてエプスタイン島には二つの異なった〝用途〟があった。一つは、少女たちとのセックスの場所である。もう一つは、オカルトの悪魔崇拝が行なわれる場所だと示唆しているようだ。

ペドフィリアは悪魔崇拝と分かちがたく結び付いている。エリートはサタニストの集団でもあった。エプスタイン島は、悪魔崇拝の儀式がなされる場所でもあったのだ。

しかし、本当にそんなことがあるのだろうか？

Qアノンの情報を信奉するトランプ支持者たちは、次に悪魔崇拝・サタニストの闇へと誘導される。これを暴くことが「大覚醒」運動の重要な要素の一つとなったのだ。

●――強権エリート層はサタニスト集団なのか

アメリカのサブカルチャーには、アメリカ国家は実はサタニスト（悪魔崇拝主義者）によって支配されているという都市伝説がある。

実際、アメリカは軍産複合体や金融産業、エネルギー産業など、幾つかの巨大な政治勢力の影響下にあるが、その上位には「ロックフェラー」や「ロスチャイルド」といった超富豪一族が存在し、さらにその上に「フリーメイソン」や「イルミナティ」と呼ばれる秘密結社があるという理解だ。そして、これらの秘密結社はサタンを崇拝し、メンバーはサタニストであるという。

こうした伝説は、以前からサブカルチャーでは広く共有されているものの、まともに信じる者は熱烈な愛好者のほかにはごく少数だった。

時おりはエリート層がサタニストの儀式に参加したという報告がサブカルチャー系のネットメディアで取り上げられるものの、陰謀論ファンでもない限り、多くの人々は半信半疑だった。

陰謀論は、先のロスチャイルドやロックフェラー、フリーメイソン、イルミナティなどの隠された秘密の計画を暴くことに主眼がある。そのため陰謀論マニアには、本当の真実を知ったという強い優越感を与えることが出来る。

何らかの理由で社会生活への適応に失敗して社会の周辺に追いやられ、強いストレスとコンプレックスを持つ者にとって、陰謀論は〝救い〟であり、自分のプライドを救済する手段として機能する。同時に、自分が不運な境遇に陥っている根本的な原因をすっきりした形で説明してくれる世界観でもある。

民主主義の国民国家であるアメリカを「グローバリスト」と称される国際金融資本に売り飛ばし、彼らに収奪されるにまかせたワシントンとウォール街のエリートこそが、自分たちの困窮の責任を負うべき存在である。グローバル化による生産拠点の海外移転とそれによる失業も、自分たちの生活を脅かす移民の流入も、全て彼らエリートが原因なのだ。

グローバリストとは、国際金融資本を前面(フロント)にした強大なロスチャイルド家の世界支配権力のことだ。そしてその上位には、フリーメイソンやイルミナティという秘教的な結社がある。彼ら秘密結社には、民主主義を廃絶して社会主義を導入し、世界統一政府を創り、それによって世界を統治するという全体主義的なアジェンダがある。ワシントンとウォール街のエリートたちはまさにこうした結社の末端要員であり、国民の手からアメリカを奪い取り、グローバリストに引き渡すことを使命としている。

さらに恐るべきは、アメリカのエリート層も含め、グローバリストはキリスト教の信者ではなく、「666」の獣の紋章を持つ悪魔の崇拝者、つまりサタニストだというのだ。

こうした陰謀論は、アメリカ中東部のラストベルトに居住し、かつては十分な年収を得て中間層の生活を満喫していたものの、生産拠点の海外移転によって仕事を失い、貧困層に転落してしまった中高年の労働者たちに受け入れられていく。彼らは急速なグローバリゼーションの変化に適応できず、図らずも社会の主流から転落してしまった層なのだ。

◉――生贄を捧げる秘事「ディナー・パーティー」の衝撃波

そうした不満が渦巻いていた二〇一六年八月、ウィキリークスでジョン・ポデスタのハッキングされたメールが公開された。ジョン・ポデスタとは民主党系のリベラルなシンクタンク「アメリカ進歩センター(センター・フォー・アメリカン・プログレス)」を創設し、二期目のクリントン政権で首席補佐官、オバマ政権では大統領顧問、そして二〇一六年の大統領選挙ではヒラリー・クリントン陣営の選挙対策本部長を務めた人物だ。民主党の最高幹部の一人である。

兄のトニー・ポデスタは、ワシントンで最も強力なロビイストの一人だ。文字どおり、ポデスタ兄弟はワシントン政界の大御所なのである。

そんなジョン・ポデスタのメールがリークされたからには、注目されないわけがない。そして、そのメールには奇妙な内容のものが幾つか認められた。例えば二〇一五年六月二五日のメールだ。

「トニーへ
私のところで行なわれるスピリットクッキング・ディナーをとても楽しみにしています。
あなたの弟も来るのかどうか、お知らせください。
愛を込めて　マリーナ」

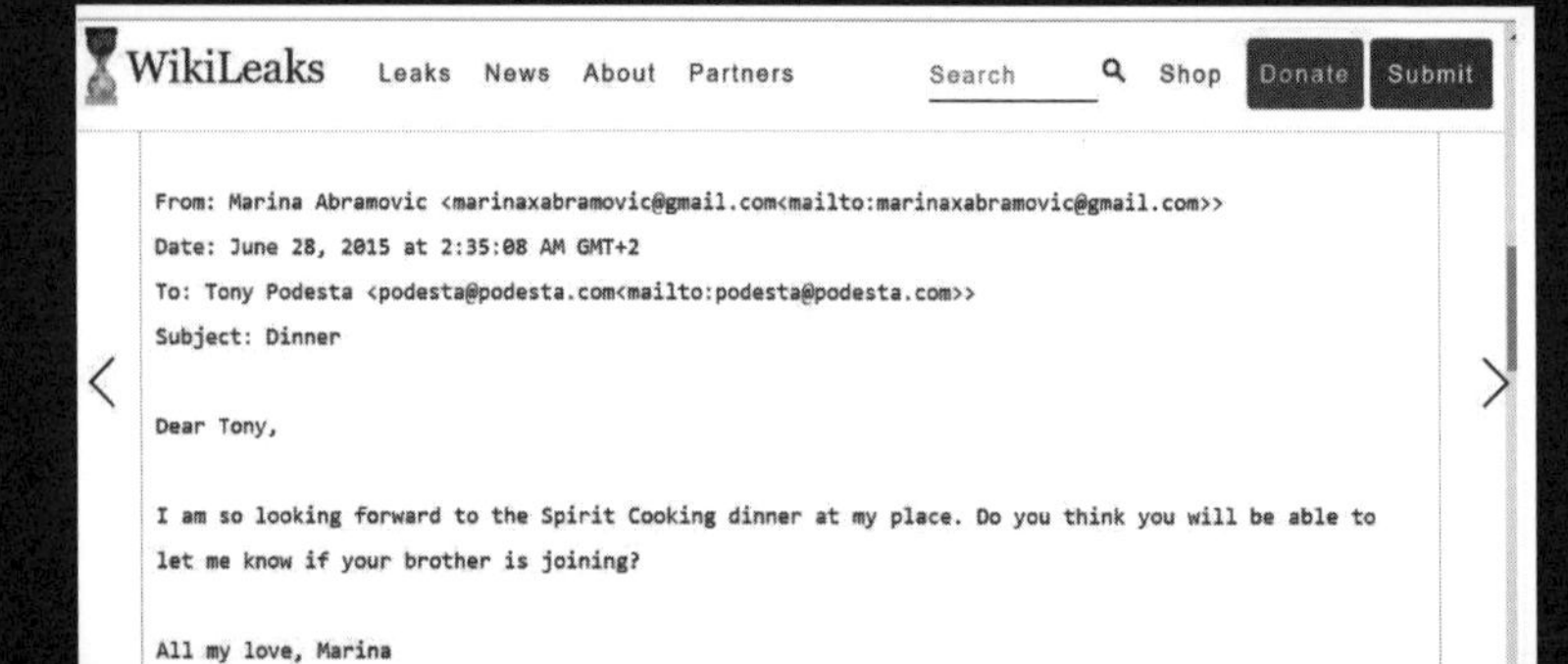

From: Marina Abramovic <marinaxabramovic@gmail.com<mailto:marinaxabramovic@gmail.com>>
Date: June 28, 2015 at 2:35:08 AM GMT+2
To: Tony Podesta <podesta@podesta.com<mailto:podesta@podesta.com>>
Subject: Dinner

Dear Tony,

I am so looking forward to the Spirit Cooking dinner at my place. Do you think you will be able to let me know if your brother is joining?

All my love, Marina

リークされたトニー・ポデスタのメールの一つ

これは、もともと兄のトニー・ポデスタ宛のメールだ。トニーは弟のジョンに転送して、次のように書いた。二〇一五年六月二八日のメールである。

「七月九日の木曜日にニューヨークにいますか？　マリーナがあなたにディナーに来てほしいそうですよ」

他愛の無いメールのように見えるが、「スピリットクッキング」とは何のことだろうか？

スピリットクッキングとは、セルビア出身でニューヨークを拠点に活躍しているパフォーマンス・アーティスト、マリーナ・アブラモヴィッチが開催している特殊なディナーのことだ。アブラモヴィッチのアートは、肉体に苛烈な暴力を加え、身体的な痛みの極限を表現するパフォーマンスだ。そして、鑑賞者をパフォーマンスの重要な要素として巻き込むことを特徴としている。

例えば、「観客の目の前で炎を飛び越える」、「パフォーマンスの途中で意識を失う」、「緊張病と統合失調症の治療薬を服(の)み、暴力的に振る舞う」、「観客を招き、鞭(むち)、外科用メス、鋏(はさみ)、弾丸を込めた拳銃を渡して、好きなようにさせる」、「自分の身体を観客に与え、自由に処理させる」、「観客の前で全裸になり、淑女(マドンナ)、母、売春婦のイメージに耽溺する。そして観客に彼女の身体を自由にさせる」……

常人にはどうにも理解に苦しむパフォーマンスだが、アブラモヴィッチは肉体に苦痛を与えることで、精神を肉体の束縛から解放することを狙っているようだ。ちなみに、パフォーマンスには多くのオカルト的シンボルが散りばめられている。

そして、スピリットクッキングだが、これはおぞましい儀式のようなパフォーマンスだ。豚の血を女性の生理の血に見立て、さらに母乳や小水、そして精液に見立てた材料を使って文字や絵を描く。スピリチュアルな世界と繋がるためには必要不可欠な通過儀礼であるとされている。

だが、スピリットクッキングが本格的におぞましくなるのは、招待客とともにするディナーだ。血に浸された遺体を模した料理にフォークを突き刺して、みなで食べる。食卓には裸の女性の遺体や、人間の頭部を模した料理が並べられていて、それらを食べるのである。

何とも形容しがたいディナーだが、そこではペドフィリアの島、エプスタイン島の寺院にあったようなサタニストのオカルト的シンボルが散見される。

スピリットクッキングにはポデスタ兄弟のようなワシントン政界の大物のほか、レディー・ガガをはじめ、世界的アーティストも数多く招待されていた。

リークされたジョン・ポデスタのメールから「スピリットクッキング」を検索し、その実態

マリーナ･アブラモヴィッチ

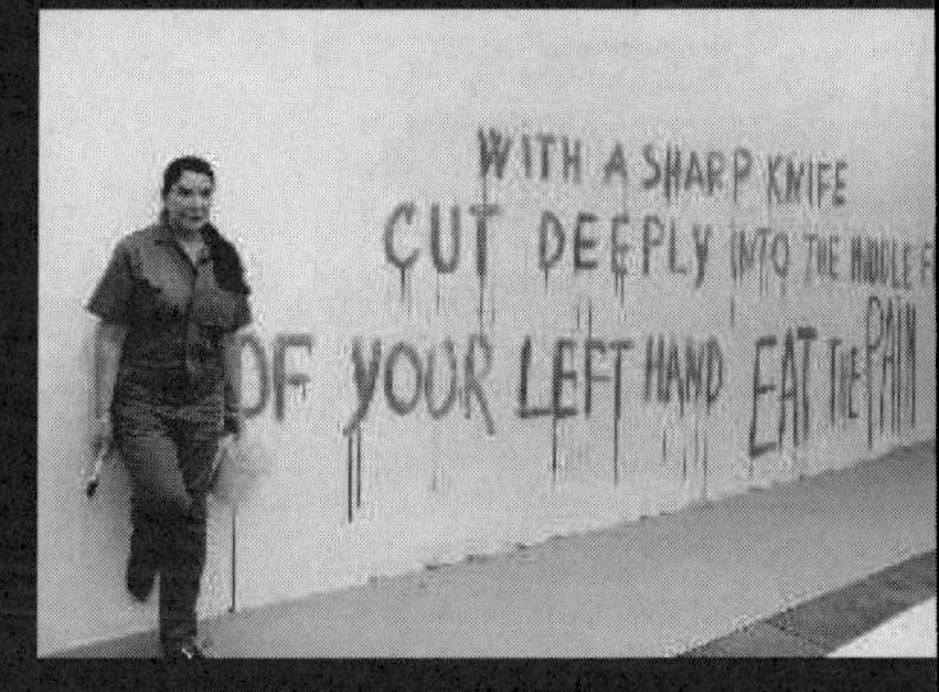

マリーナのアート

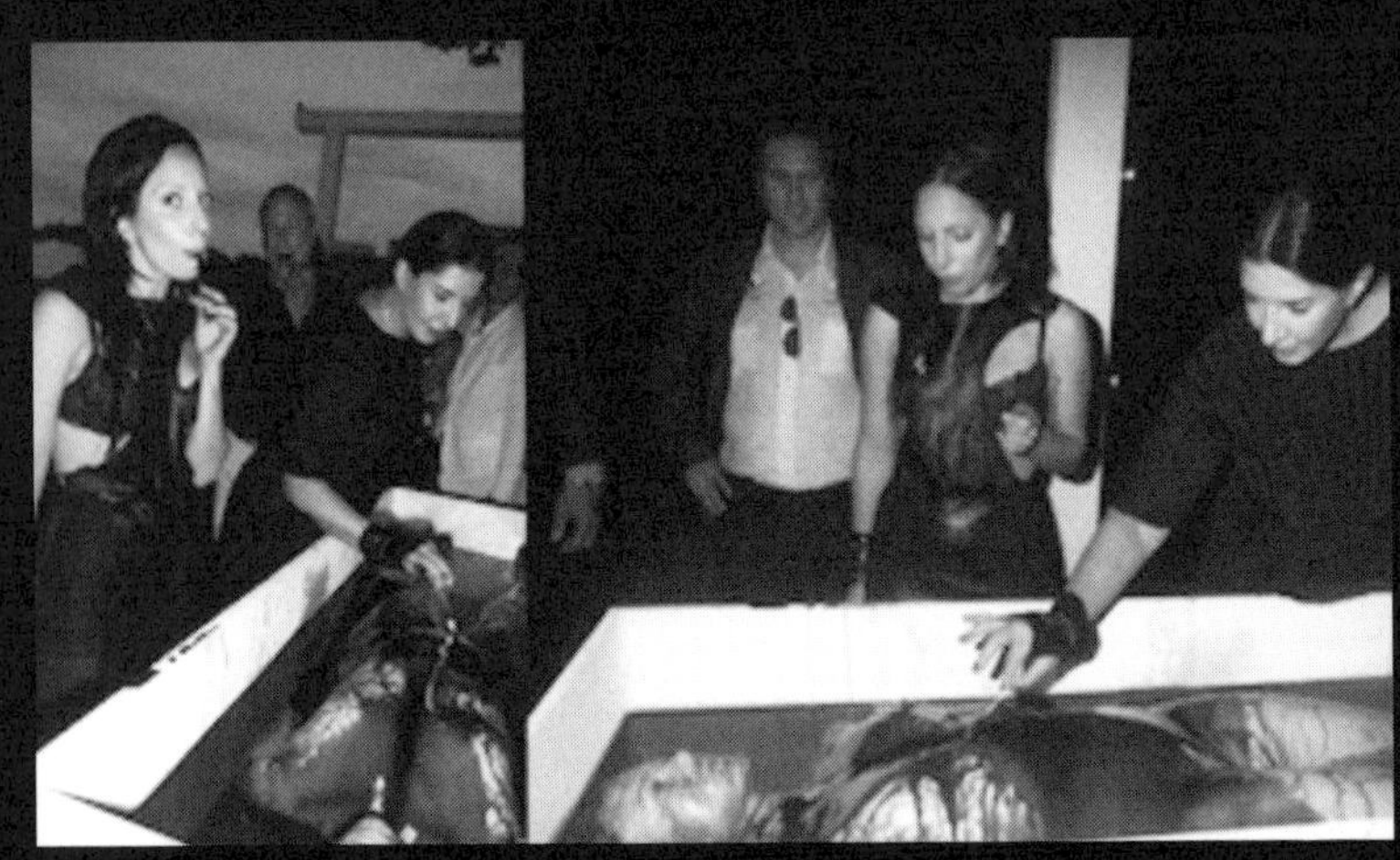

スピリットクッキング・ディナー。レディーガガの姿も見える

スピリットクッキング・ディナーの様子

スピリットクッキング・
ディナーの様子

を目にした人々は、現在のアメリカを支配するエリート層とは、実は正真正銘のサタニストの集まりだったのだということを確信するに至ったのである。

しかし、後にマリーナ・アブラモヴィッチは新聞のインタビューで、自分の作品がサタニストのオカルト的儀式ではないかという批判に激昂している。

「私は本当に怒っています。これはアートの文脈を無視し、一部だけを取り出した論評です。本当に普通のディナーですよ。私はスピリットクッキングと呼んでいますが、普通のメニューです。血とか、そういうものはないです。ただ、変わった名前をつけているだけです」

スピリットクッキングの画像とビデオを観た人々には、アブラモヴィッチの反論は秘密を隠すための言い訳にしか聞こえない。実際、スピリットクッキングの内容は写真にあるようにおぞましく、とても「普通のディナー」どころの話ではないだろう。明らかにサタニストの生贄(いけにえ)をともなうオカルトの儀式である。

●――Qアノンはやはりホワイトハウス内通者という推測

多くの陰謀系SNSや右派の独立系メディアなどで、こうしたエリート層に対する怒りが噴出しているなか、Qアノンは以下のような投稿をした。そして結果的には、序章で述べたように、陰謀論ファンにとってはQアノンがホワイトハウス内にいる人物、あるいはグループであることは既定の事実となったのである。

【二〇一七年二月六日：Qアノン投稿】

「なぜ、今なのか？
古いコネクション
ニュース
悪役
ロンドン市長
背景？
提携？
女王とのコネクション？
イギリス、MI6のエージェントが死んだ
いつ？
どのように？
何が報道されたのか？
何が本当に起こったのか？
なぜ、これが関係あるのか？
富

汚職
秘密結社
悪
ドイツ
メルケル
移民
なぜ、移民が重要なのか？
資産
資産とは何か？
資産を定義せよ？
なぜ、移民はそれほど重要なのか？
作戦
サタン
誰が追随者か？
どの政治指導者がサタンを崇拝しているのか？
逆十字は何を表わしているのか？
誰が隠すことなくこれを着るのか？

なぜ？
彼女は誰と結び付いているのか？
なぜ、これが関係あるのか？
スピリットクッキング
スピリットクッキングは何を表現しているのか？
カルト
カルトとは何か？
何が崇拝されているのか？
なぜ、これが関係あるのか？
白雪姫
ゴッドファザー3
スピード　Q」

これはかなり解読するのが難しい投稿だ。概要さえ掴めない。ただ、幾つかのキーワードを辿ると、Qアノンが何を言いたいのか全体像がうっすらと見えてくる。
まず、現在のロンドン市長はサディック・カーンというパキスタン系イギリス人で、EUで初めてのイスラム教徒の市長だ。彼にはイギリス女王との何らかのコネクションがあるのだろうか？

また、死亡したＭＩ６のエージェントとは、二〇一〇年に自宅アパートで変死したガレス・ウィリアムスのことだろう。すでに一〇年前の事件だが、小さなボストンバッグに遺体が入れられ、バスタブの中で腐乱した状態で発見された。

ガレス・ウィリアムスは数学者であり、ＭＩ６の暗号解読の専門家（エキスパート）だった。警察は事故死としたが、説得力のあるはずがない。今では、ロシアの情報機関「国外情報局（ＳＶＲ）」のスパイだった政治亡命者が「ウィリアムスを殺害したのはロシアの工作員（エージェント）だ」と証言している。

しかしＱアノンの投稿では、ウィリアムスがイスラム教徒のロンドン市長やエリザベス女王と何らかの繋がりがあったことを匂わせている。秘密結社が絡んだ汚職のようだ。

そして二〇一五年、ドイツのメルケル首相は一〇〇万人規模の難民をシリアを中心とした中東地域から受け入れたものの、国内の反移民感情を刺激してＥＵ分裂を主張する極右政党の躍進を招いた。

Ｑアノンの投稿は、メルケルの移民受け入れ政策には何か〝裏の目的〟があるように思わせる。サタニストの陰謀論的な計画のようだ。ひょっとすると、ＥＵの分裂と解体が目的なのかもしれない。

次の「逆十字」とは、ローマ教皇の象徴である「聖ペテロの十字」のことだろう。サタニストが使う悪魔崇拝のシンボルでもある。これを隠すことなく堂々と着られる人物はローマ教皇だけだ。陰謀論系の噂では、教皇が聖ペテロの十字を身につけていることから、教皇はサタニストではないかとされている。

そして、「彼女は誰と結び付いているのか？」、「なぜ、これが関係あるのか？」、「スピリットクッキングは何を表現しているのか？」、「カルト」、「カルトとは何か？」とは、全てマリーナ・アブラモヴィッチに関することだと思われる。

投稿が何を意味しているのか詳細は判らないものの、マリーナ・アブラモヴィッチが主催するスピリットクッキングなるディナーが、サタニストのエリートたちが結集する壮大なネットワークの結節点（ハブ）になっていることは間違いないようだ。

また、二〇一八年に入ると次のような投稿も現われた。

【二〇一八年三月一〇日：Qアノン投稿】
「スピリットクッキングの発見は、君たちが思うよりも大きい
マリーナを追え
陰謀という言葉が生まれたのは理由がある
覚醒に対する彼らの武器だ　Q」

この投稿も具体的な内容ははっきりしないが、マリーナ・アブラモヴィッチのパフォーマン

スが、サタニストの支配層の陰謀の存在を暗示する儀式であることを示唆している。

【二〇一九年三月二一日：Qアノン投稿】

「高い地位にいるエリートは、レイチェルの写真スタジオに何を提供したのか？
このスタジオは何のために使われていたのか？
このスタジオは、本当に何のために使われていたのか？
誰がレイチェル・チャンドラーと一緒に写真に写っているのか？
これはスピリットクッキングのモデルを超える　Q」

「レイチェル」とは、新進の女性写真家レイチェル・チャンドラーのことだ。彼女は有名なラッパー、エミネムの恋人でもある（一二一ページの写真でビル・クリントンと一緒に写っている女性がレイチェル・チャンドラー）。

後の投稿でQアノンは、レイチェル・チャンドラーがペドフィリアを仲介している人物だと示唆している。

投稿がもたらした「大覚醒」の新局面

スピリットクッキングに関する数々のQアノンの投稿の効果は絶大だった。

国際的金融資本を主体にしたグローバリストと、ワシントン政界のエリートたちによるスピリットクッキングと称する見るに堪えない儀式が、現代アーティストのマリーナ・アブラモヴィッチの手によって何とニューヨークで行なわれていたのだ。

民主党最高幹部のジョン・ポデスタとワシントンの政商トニー・ポデスタのエリートたちも、ペドフィリアにとどまらず、やはりサタニストであったのだ。ウィキリークスから漏洩（リーク）されたジョン・ポデスタのメールには、そのことが明白に示されている。

——こうした事実を知ってしまった者たちは、もう引き返すことは出来ない。いまだ主要メディアが流すフェイクニュースの世界観に囚われている多くのアメリカ人のために、グローバリストとそれに連なるワシントン政界のエリートたちの実態を暴いてやらなればならない。さもないと国民国家としてのアメリカは本当に終焉する。真実を知り、革命を推進するアメリカ国民こそ「覚醒した者たち」である。

幸いにも、現在の大統領はトランプだ。トランプ政権は、グローバリストに乗っ取られたワシントン政界を浄化し、アメリカを再び国民の手に取り戻すために結成された革命政権なのである。トランプは、グローバリストの手先として活動する情報機関「ディープステート」と本気で戦っている。革命はすでに始まっているのだ。

スピリットクッキングのようなおぞましいサタニストの儀式を繰り返し、何の罪もない少女を性的に消費するという、吐き気を催すペドフィリア嗜好のエリートたちの支配は、革命の業火の中で完全に排除され、消滅する運命にあるのだ。

そして覚醒したアメリカ国民には、革命を支援してくれるトランプ政権内部のリーダーがいる。それこそが「Qアノン」だ。覚醒した我々は、Qアノンとともにトランプの「アメリカ第二革命」を実行するのだ。「WWG1WGA（Where We Go One,We Go All／一人が行くところに全員が行く）」なのである――。

以上が、Qアノンの投稿がもたらした「大覚醒」の一局面である。

第四章◉バチカンの秘められた闇とQアノン

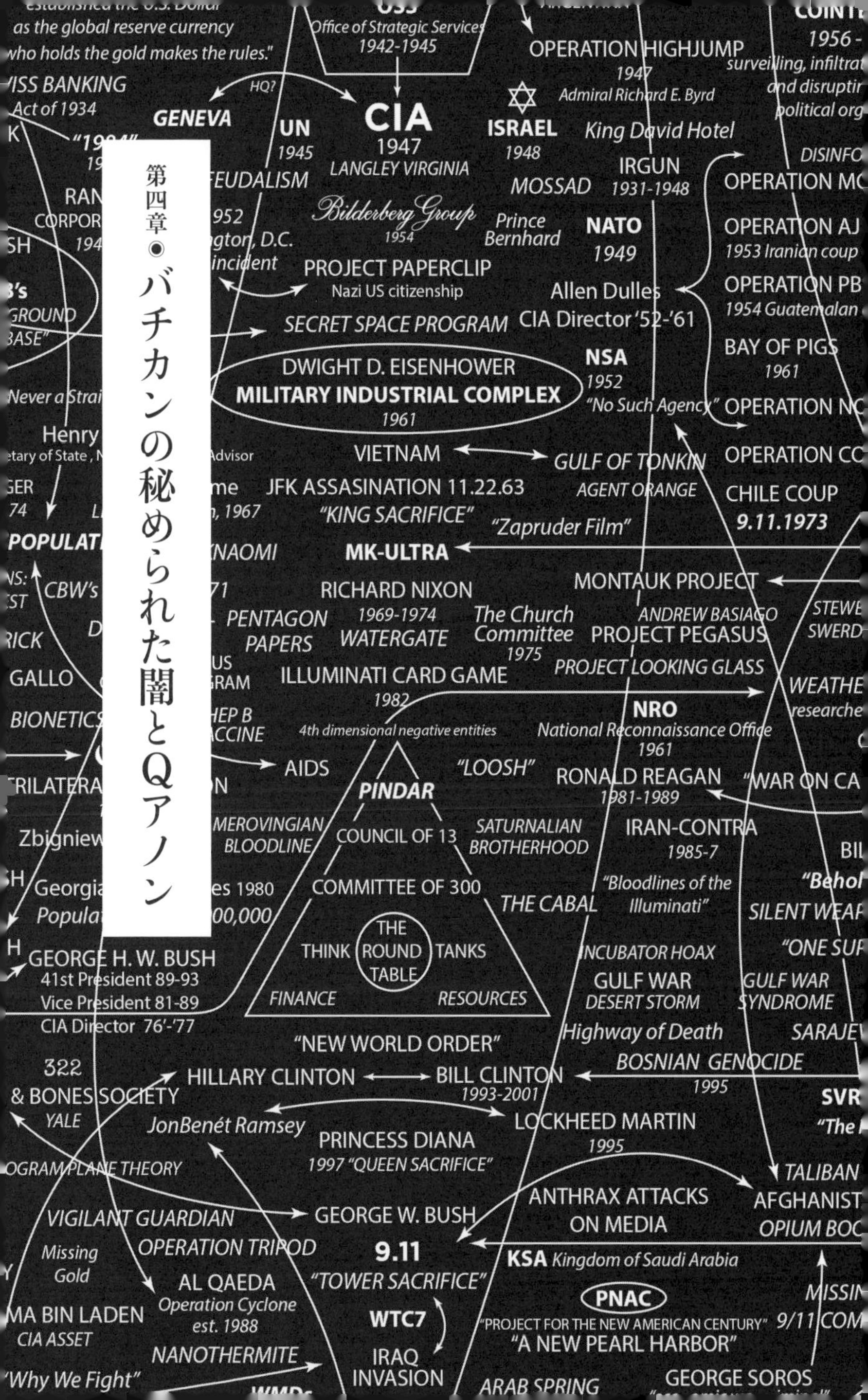

欧米の社会はキリスト教文化圏にある。

バチカンの真の支配者は誰か

欧米諸国の多くの人はキリスト教を信仰し、聖書の教えに従いながら生活を営んでいる。特にカトリックは世界に一〇億人以上の信徒を抱え、キリスト教最大の教派となっている。

カトリック教会の神父は、聖書の教えに従って正しく生きるように信徒を教導する。聖書の倫理規範からはずれた行ないをした信徒は、教会のミサや告解室で自らの罪を告白し、改心することで新しい人生を歩むことが出来る。

カトリック教会の頂点に立つのは、イエスの十二使徒の一人であるペテロの後継者であり、イエスの代理人とされるローマ教皇（法王）だ。

バチカンは聖書解釈の正当性を維持するための機構であり、その中心にいるローマ教皇は聖書の倫理を体現する象徴的な存在として最大の尊敬を集めている。カトリック信徒におけるバチカンの権威は、カトリック信徒が人口の〇・五％にも満たない日本では計り知ることが出来ないだろう。

二〇一九年一一月二三～二六日、ローマ教皇フランシスコが来日した。三八年ぶりの訪日となったローマ教皇は長崎・広島を訪れた後、東京で天皇陛下と会見、安倍晋三首相と会談し、東京ドームでミサなどを行なった。

フランシスコの訪日は日本のカトリック信者を熱狂させた。教皇がキリスト教精神を基礎とした正義に基づく世界平和の確立を訴え、人道主義の普及のために武力紛争の回避、人種差別の撤廃、人権の確立、開発途上国に対する精神的・物質的援助などについて語ると、カトリック信者であるかどうかに関係なく、多くの日本人の心を強く打った。

一方、Qアノン支持者が集まる「4Chan」や「8Chan」、「8Kun」、さらに多くのユーチューブのチャンネルなどの陰謀論系メディアでは、バチカンとローマ教皇庁に対する特定の世界観が長い間、共有されてきた。

それは、「バチカンの真の支配者はロスチャイルドであり、バチカンは悪魔崇拝のサタニストの集団だ」というものである。そして世界のエリートがそのメンバーであるペドフィリア(小児性愛)のネットワークの中心にいるのが、実はバチカンとカトリックだというのだ。

日本で受け入れられているローマ教皇のイメージとは全く異なる教皇像が存在する。一千年以上にわたって蓄積されてきた闇を抱える、暗い存在としての教皇像だ。こうした見方は、欧米特有の陰謀論の基礎となっている。

バチカンとローマ教皇に関するQアノンの投稿は、クリントンやオバマのスキャンダルのような他のテーマと比べると断片的で、しかも暗号めいている。Qアノンは読者に自らが主体となってリサーチするように迫り、リサーチを通してバチカンの闇が浮かび上がるという構造になっているのだ。
二〇〇二年のアメリカ・ボストン司教区に端を発し、ローマカトリック内部の高位聖職者のペドフィリアの実態がマスコミによって明らかにされて以来、カトリック教会とローマ教皇に対する非難が強まるなか、Qアノンの投稿は十分な説得力を持ったのである。

●——巨額の闇資金とロスチャイルド

Qアノンの投稿は、バチカンの背後にあるロスチャイルドの存在を指摘する。以下、投稿を見てみよう。

【二〇一八年四月五日：Qアノン投稿】
「宗教組織の富の規模を予想してみよ
何十億ドルだ
バチカン銀行
二二九〇億ドル
管理委員会
枢機卿による管理委員会
王族との関係

「一八三二年に提供されたロスチャイルドのバチカンへの貸付(ローン) Q」

投稿では、巨額の闇資金と陰謀の存在を匂わせている。バチカン銀行は、ロスチャイルドが自分たちの資金を世間から隠すための金融機関として利用されている、そう示唆しているようだ。バチカンは、世界平和のイメージとはおよそ反する存在のようである。

◉――抹殺されたエプスタインとの知られざる関係

さらに指摘は続く。

【二〇一八年八月二八日：Qアノン投稿】

「合衆国と教皇聖座の関係
(註：張られているURL先の記事の概要/教皇聖座とは、カトリック教会の普遍的な政府であり、主権を持つ独立都市であるバチカンで機能している。教皇は国家としてのバチカンと教皇聖座の両方を統治する。教皇聖座は、カトリックの政府における最高機関であり、国際法に規定された主権を有する法的単位)
富？
権力？

刑事訴追を免れるための聖域？
……のためのレシピ　Q」

この投稿では、バチカンが富と権力の象徴だけではなく、違法に得た富を隠蔽する一種の聖域として機能していることを匂わしているようだ。

投稿に添付されている写真（次ページ）は、教皇フランシスコと世界ユダヤ人会議（WJC）の各国の指導者たちである。教皇は指導者たちを歓迎し、反ユダヤ主義に強い非難を発表するなど、ユダヤ人との良好な関係をアピールしたようだ。この写真と投稿記事とはどういう関係があるのだろうか。

ちなみにこの投稿の約九カ月前、読者の一人がQアノンに次のような質問をしている。

「Q、教えてくれ。いったい何人がロスチャイルドと関係があるのか？」

するとQアノンは、次のような謎めいた答えを残した。

【二〇一八年四月四日：Qアノン投稿】

「（椅子）は主人に仕える
誰が主人なのか？
P＝C　Q」

World Jewish Congress with Pope Francis Photo

Q !UW.yye1fxo 18 Jan 2018 - 9:03:16 PM

rothschilddavidwjcyfranc.jpg

Qアノン投稿に添付されている写真。
世界ユダヤ人会議の面々と会見するフランシスコ教皇

最後の「P」が「教皇（Pope）」を指しているとしても、「C」が何を指すのかは不明だ。Qアノンフォロワーの間では、クリントンではないかとの説もあるが、意味ははっきりしない。また、「椅子」が何のことかも判らない。バチカンには多くの司教がおり、彼らにはそれぞれ椅子があてがわれている。そのことを指しているという意見もある。

この投稿の直後、ペドフィリア騒動の中で不審な死を遂げたジェフリー・エプスタインに関する次の投稿もある。

【二〇一八年四月四日：Qアノン投稿】
「なぜエプスタインは、エプスタイン島の寺院の地下にあるトンネルを埋めるために
二九〇〇万ドルも遣ったのか？
問題
電話の持ち込みは許されていた
これらの人々はバカだ　Q」

この投稿を見ると、エプスタイン島の寺院の地下には秘密のトンネルがあり、バチカンと連絡が取れるようになっていたとの印象を与える。

前章で述べたように、エプスタインはペドフィリアで繋がったアメリカの支配層のネットワークを仕切る中心人物だ。そのエプスタインとバチカンとは、何らかの関係があるのだろうか？　少なくともQアノンの一連の投稿では、そのことを示唆しているように思われる。

次々と暴露される聖職者のペドフィリア

これ以後、Qアノンは、カトリック教会に蔓延（はびこ）るペドフィリアを正面から扱う投稿を続けた。

【二〇一八年九月一二日：Qアノン投稿】
「https://www.breitbart.com/big-government/2018/09/11/pope-francis-compares-vatican-whistleblower-satan/
Q」

このURLはニュースサイト『ブライトバート』の記事へのリンクだ（一五一ページの写真）。記事を見ると、カトリック教会内部でペドフィリアを行なった聖職者への対処が怠慢だと非難した教会大使を、フランシスコ教皇が『ヨブ記』のサタンに譬（たと）えたというものである。つまり、教会で行なわれた罪を喧伝してスキャンダル化しようとしているというのだ。

さらに記事のリンクを記したあと、次のように投稿する。

「もっと出てくるか？
闇から光まで　Q」

一五二ページの写真は、バチカンの財務長官でナンバー3の地位に就いているオーストラリアのペル枢機卿が、ペドフィリアの罪でメルボルンの治安判事裁判所の陪審裁判にかけられるというBBCニュースの記事である。さらに同ページの下部の写真もBBCの記事だが、フランシスコ教皇が司祭による修道女の性的暴行を初めて認めたという内容だ。

まさにQアノンの投稿にあるように、カトリックの司祭関係の不祥事が次々と露呈してきているのは事実である。

また、次のような投稿もある。

【二〇一八年三月六日：Qアノン投稿】

「学びなさい
https://www.cia.gov/library/readingroom/docs/CIA-RDP90-00845R000100170004-5.pdf　Q」（註：一五五ページの写真Aへのリンク）

TRENDING: PORTLAND RIOTS JOHN LEWIS MASK WARS DACA WATCH 2020 ELECTION TWI

POPE FRANCIS COMPARES VATICAN WHISTLEBLOWER TO SATAN

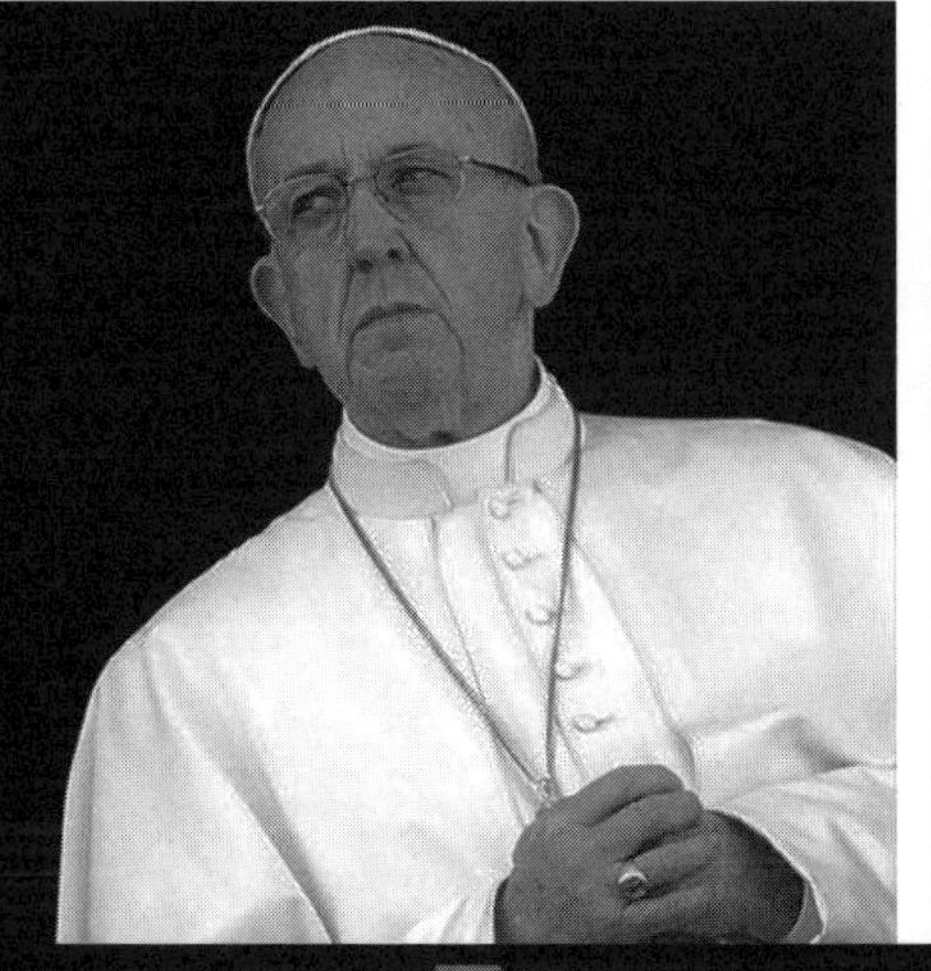

by THOMAS D. WILLIAMS, PH.D. | 11 Sep 2018 | 2,712

Satan, the "Great Accuser," has been unleashed against the bishops of the Church, Pope Francis said Tuesday, in a thinly veiled reference to the former Vatican nuncio to the United States.

The former nuncio, Archbishop Carlo Maria Viganò, recently accused a number of prelates of dereliction of duty in dealing with clerical sex abuse and claimed that the pope had rehabilitated serial abuser Cardinal Theodore McCarrick, elevating him to a position of influence despite knowledge of his misdeeds.

ペドフィリアをスキャンダル化する教会大使を
サタンに見立てたフランシス教皇
（ニュースサイト『ブライトバート』2018年９月11日付）

ペドフィリアの罪で訴追された
ヴァチカンNo３の
財務長官ペル枢機卿
（『BBC NEWS』2018年5月1日付）

BBC Sign in News Sport Reel Worklife Travel Future

NEWS

Home Video World Asia UK Business Tech Science Stories Entertainment &

World Africa Australia Europe Latin America Middle East US & Canada

Cardinal Pell ordered to stand trial on sexual assault charges

1 May 2018

Share

Cardinal Pell sex abuse case

GETTY IMAGES

Cardinal George Pell has pleaded not guilty to charges of sexual assault

Vatican treasurer Cardinal George Pell will stand trial on historical sexual assault charges, a court has ruled.

Cardinal Pell formally pleaded not guilty to the charges on Tuesday. He has consistently denied any wrongdoing.

BBC Sign in News Sport Reel Worklife Travel Future

NEWS

Home Video World Asia UK Business Tech Science Stories Entertainment &

World Africa Australia Europe Latin America Middle East US & Canada

Pope admits clerical abuse of nuns including sexual slavery

6 February 2019

Share

EPA

Pope Francis made the admission while visiting the Middle East

Pope Francis has admitted that clerics have sexually abused nuns, and in one case they were kept as sex slaves.

He said in that case his predecessor, Pope Benedict, was forced to shut down an entire congregation of nuns who were being abused by priests.

It is thought to be the first time that Pope Francis has acknowledged the sexual abuse of nuns by the clergy.

司祭による修道女の
性的暴行を初めて認めた
フランシス教皇の記事
（『BBC NEWS』2019年2月6日付）

【二〇一八年三月一〇日：Qアノン投稿】
「(註：写真Bへのリンク)　Q」

三月六日の投稿では、Qアノンは「学びなさい」と言って写真A（一五五ページ）のリンクを張っている。写真は『カバート・アクション』という雑誌の表紙で、CIAなどの国家に背く活動を批判する記事を掲載している。

写真の号の目次を調べると、ダレン・アレス元CIA長官やナチス、マルタの騎士団に関するタイトルが並んでいる。

また三月一〇日の投稿では写真B（一五五ページ）のみを添付している。バチカンの司祭たちとナチス高官たちが写っており、ナチス式敬礼をしている。右端にゲッベルスの姿も見える。

そして、前章ではグローバルエリートたちのペドフィリア（小児性愛嗜好）について検証したが、Qアノンは次のようなバチカンと悪魔主義的な〝シンボル〟との関連を想起させる投稿もしている。

【二〇一八年四月三日：Qアノン投稿】
「もし、サタニストがバチカンを乗っ取ったのなら、あなたはそれに気づくだろうか？
シンボルが彼らの凋落だ

金
権力
影響力
治療法がない咬傷（こうしょう）　ＮＳＡ　Ｑ」

この投稿は、その三分ほど前に読者が投稿した写真（一五六ページの写真Ｃ）に対して行なわれたものだ。写真には、バチカンにあるパウロ六世記念ホールの会場とヘビをコラージュし、「もし、サタニストがバチカンを乗っ取ったのなら、あなたはそれに気づくだろうか？」と書かれている。

そして約半年後の八月二八日、Ｑアノンは次のような投稿をする。

【二〇一八年八月二八日：Ｑアノン投稿】
「（註：一五九ページの写真Ｅへのリンク）　シンボルが彼らの凋落だ　Ｑ」

この投稿は四月三日の投稿と同じ文が使われ、約八分前の読者の「ナチスのピンバッジは共産主義者のシンボルだ」という投稿に対して行なわれた。読者の投稿には写真Ｄ（一五九ページ）が添付されている。

写真A：ＣＩＡなどの隠れた行動を批判するアメリカの雑誌『カバート・アクション』

写真B：ローマ教皇とナチス

写真C：パウロ六世記念ホール(左)。
あたかもヘビの顔のように見える

読者の投稿写真は、一九三四年当時のナチス政権下における「労働者の日」（いわゆるメーデー）の記念バッジだ。そこには共産主義の象徴である〝鎌とハンマー〟が描かれている。

Qアノンはその投稿に対し、「シンボルが彼らの凋落だ」として、フランシスコ教皇と〝鎌とハンマー〟のオブジェが写っている写真E（一五九ページ）を添付するのである。

〝シンボル〟ということでいえば、初期の投稿でもすでに行なわれており、たとえば二〇一七年一二月七日には写真二点（一六〇ページ）がコメントなしに投稿されている。

上の写真は第二六四代ローマ教皇ヨハネ・パウロ二世と〝逆さ十字〟、下の写真は北欧神話の雷神トールがハンマーで巨人を打ち倒している絵である。

こうした一連のQアノンの投稿を見ると、あたかもバチカンとナチス、共産主義、悪魔崇拝などとの関係が示唆されているように思われる。

つまりバチカンの実像とは、これまでのカトリック教徒の象徴のイメージとは大きくかけ離れているということだ。「教皇聖座」としてのカトリックの価値観に基づき、世界平和や人道主義を世界に向けて宣揚するといったようなものではない。

それどころか、ロスチャイルドによる世界の金融支配を補完し、ナチスとも協力関係にあった巨大な権力機構であると同時に、ペドフィリアのいわば総元締めとして、ジェフリー・エプスタインとともに世界的なエリートのネットワークの中心であるということになる。

もちろん、バチカンの闇を追及する陰謀論は以前から存在した。しかし、時の政権の内部にいるらしきQアノンのような存在から情報がもたらされ、それが広く共有されることはかつてなかった。

Qアノン支持者に限らず、今ではカトリック内部のペドフィリア問題がヨーロッパを中心に知られているので、「やはり、そうだったのか！」との思いとともに、バチカンやローマ教皇庁に対する人々の激しい怒りが頂点を迎えている。

●――パリ・ノートルダム大聖堂火災にまつわる疑惑

そうした激しい怒りの一端を垣間見るかのような事件がノートルダム寺院で起きた。

二〇一九年四月一五日午後六時五〇分、フランス・パリのノートルダム大聖堂で大規模な火災が発生した。火災の中心は大聖堂の上部であり、消火はかなり難航した。翌四月一六日の午前一〇時に鎮火が発表されたが、修復作業中だった尖塔は焼けて崩落し、木材の骨格で造られていた屋根の三分の二が焼失した。

マクロン大統領は火災現場近くで大聖堂の再建を約束し、国際募金活動を実施する意志を表明した。四月一七日には、火災が発生した時刻とされる午後六時五〇分にセーヌ川の対岸へ多くの市民が集まり、フランス全土およびイギリス、イタリア、ポーランドの教会や大聖堂は一斉に鐘を打ち鳴らし、アメリカのエンパイア・ステート・ビルはトリコロールの三色を使ってライトアップするなど、世界各地で連帯が示された。

写真D：1934年のナチス政権下の「労働者の日」記念バッジ

写真E：フランシス教皇と鎌とハンマーのオブジェ

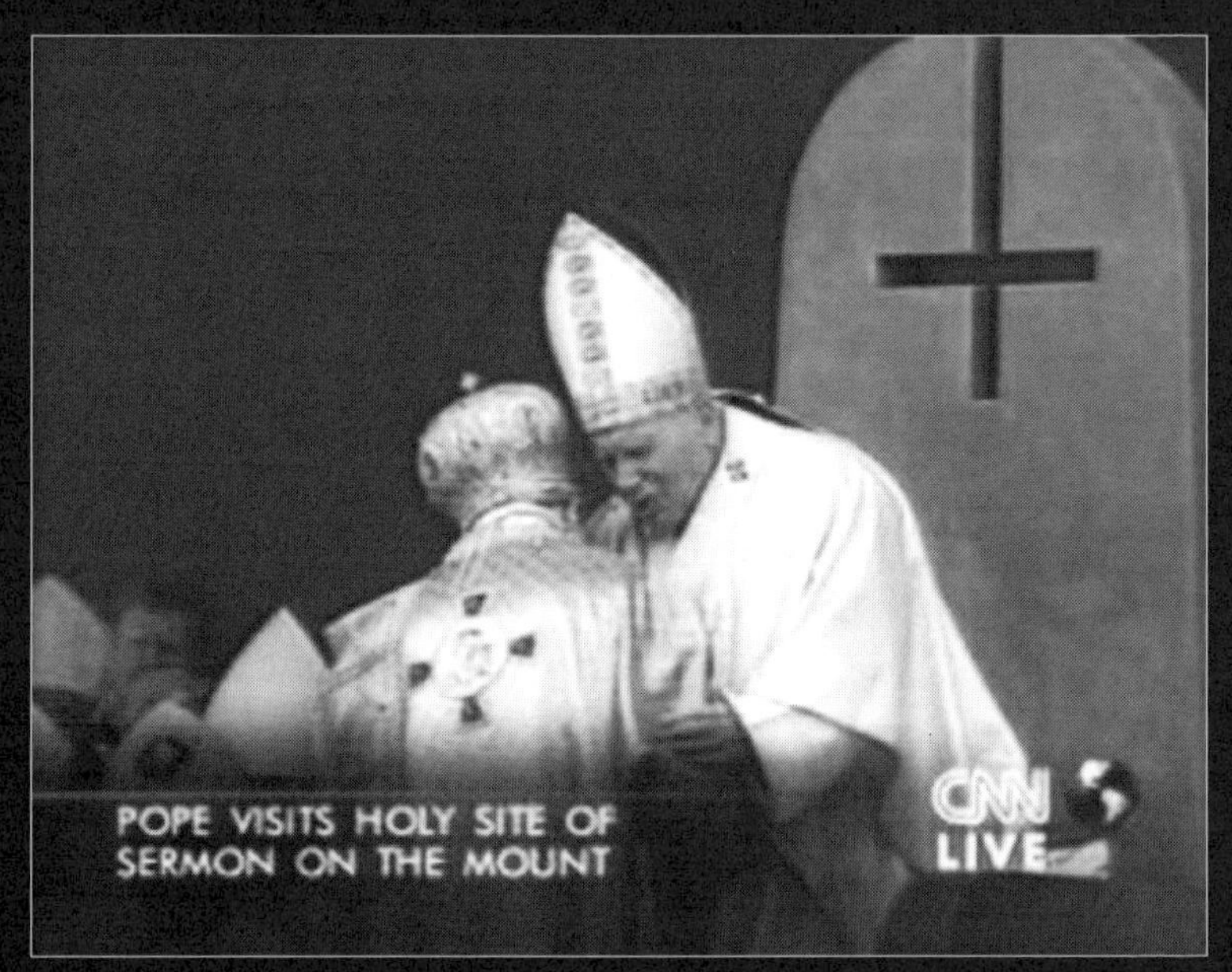

ヨハネ・パウロ２世と逆さ十字

トール雷神とハンマー

当初は、大聖堂の火災によってフランス国民が連帯しナショナリズムが高まることで、マクロン政権の基盤を脅かしていた大規模な反政府抗議活動である「黄色いベスト運動（ジレジョーヌ）」は退潮し、政権の求心力が高まると見られていた。しかし、そうはならなかった。

二〇日、パリではマクロン政権に抗議する黄色いベスト運動の二三週目のデモが行なわれ、デモ隊数十人と警官隊が衝突、デモ隊が投石し、一部は警察車両に火を点けるなどした。警官隊は催涙ガスや閃光音響弾で応戦した。

こうした激しい抗議運動が起こった背景には、ノートルダム大聖堂の火災後、多額の寄付金が寄せられたことがある。全てがノートルダムに捧げられ、貧しい人々には何も与えられないとの不満が、抗議運動を激化させたのだ。

●激増するカトリック教会への破壊行為

ノートルダム大聖堂の火災の原因は早々に失火事故とされ、テロの可能性は全面的に否定された。出火当時、大規模な修復工事をしており、電気系統からの失火が原因となった可能性が高いとしている。

しかし、事故説には納得しない意見も多い。イスラムの過激主義者か、もしくはやはりペドフィリアの温床となっているカトリック教会への怒りが引き起こしたテロ事案ではないかというのだ。計画的なテロの可能性を指摘する声もある。

ノートルダム大聖堂の火災がテロであった証拠は今ところ何もない。フランス政府とパリ警察は、テロだと推察させる報道に神経質になっており、フランスだけではなく欧米の主要メディアもその可能性を強く否定している。

実際にはこの火災事件が難民として国外から入ってきたイスラム系の過激主義者によって引き起こされたのか、またはカトリックの内部で蔓延するペドフィリアへの怒りによるものであるとしたら、白人至上主義者や極右、ネオナチなどの報復テロや憎悪犯罪（ヘイトクライム）、さらにはペドフィリアに対する憎しみと怒りが拡大し、ただでさえ黄色いベスト運動で混乱しているフランスを暴力の渦に引き込みかねないとして警戒しているからだ。

しかし、二〇一五年頃からドイツやフランスなどのヨーロッパ主要国では、カトリック教会の焼き打ちや打ち壊し、十字架やキリスト像などを破壊する激しい暴力が席巻している。特にフランスに集中しており、二〇一九年の事件の発生件数を月別に見ると、前年の二〇一八年に比べるとなんと二五％も増加しているのだ。二〇一九年二月の一カ月間だけでも、カトリック教会を標的にした破壊行為が五〇件もあった。

こうした破壊がどのようなものなのか、二〇一九年二月に起きたものを幾つか見てみよう。

●ノートルダム・デ・エンファン教会

フランス南部の都市ニームにある教会。何者かが侵入し、人糞で大きな十字架を書いた。聖

2019年4月15日に起きたノートルダム大聖堂の火災

ノートルダム・デ・エンファン教会の破壊行為(『ChurchPOP』)

体拝領用のパンがゴミとして捨てられていた。

●聖ニコラス教会

フランス北西部ウイユにある教会。一九世紀に制作され、修復不可能とされていた生母マリア像が粉々に破壊された。壁にかかっていた十字架は床に落ちていた。

●ラヴァールの大聖堂

フランス南部ラヴァールにある教会。十字架と聖像が破壊された。磔(はりつけ)のキリスト像の腕は、キリスト教を侮辱するやり方でずたずたにされた。また、祈りに使われる祭壇布が焼かれた。

これらは、五〇件の教会破壊事件のほんの一端である。

ひと月に五〇件といえば、毎日なんらかの破壊行為がなされていることになるが、翌三月には、ノートルダム大聖堂に次いでパリで第二の威容を誇るサン=シュルピス教会でも火災が起きている。被害は比較的少なかったものの、正面の扉から出火しており、火焔は天井にまで達していた。歴史的に貴重なステンドグラスも煤(すす)に塗(まみ)れた。

こうした事件はドイツなどでも起こっているが、どういうわけかフランスに集中している。

一六七ページの図Aは、二〇一五年以来、フランス国内で発生したカトリック教会の襲撃事件の分布図である。凄まじい数だ。

しかしフランス当局は、暴徒の襲撃では犯人は捕らえられたにもかかわらず、詳細については捜査中として公表していない。また教会の火災は早々に事故と断定され、放火の可能性は最初から否定されている。

フランスの歴史あるカトリック教会は修復の必要があるものがとても多い。しかしマクロン政権の緊縮財政のため、歴史的建造物の修復予算が大幅に削減されており、建造物は崩壊の危険さえある状態のまま放置されている。フランス当局は、こうした状況が建造物の火災や崩落の原因であるとし、事故と決めつけているようだ。

もちろん事故の事例もあるのだろうが、こうした状況を見ると、四月一五日のノートルダム大聖堂大火災は、決して孤立した出来事ではないことが判る。

放火犯人は誰なのか?

どう見ても、一連のカトリック教会の破壊の原因が事故であるとするには無理があるが、もし襲撃であるとすれば、どのような集団によるものなのだろうか?

今、ローマカトリックは、長い間隠蔽されてきた聖職者によるペドフィリアの問題で騒然としている。高位の聖職者が告発されたものの、フランシスコ教皇からは納得のいく説明や謝罪がなかったとして、教皇辞任を要求する声まで出てきている。

図A：2015年以降、フランス国内で起きたカトリック教会襲撃事件の分布図
（christianophobie.fr）

もはやローマカトリックは、ペドフィリアの巣窟として憎しみの対象となりつつある。事実、破壊された教会を管轄する警察発表では、襲撃行為は実際に起こっており、捕らえられた容疑者の多くは地元の青年であったという。容疑者の中には、宗教を否定する過激なフェミニスト、アナーキスト、そして極左のメンバーもいるだろうが、ペドフィリアに激怒し、カトリック教会への憎しみを募らせた者たちが含まれている可能性は否定できない。

いずれにせよ、こうした状況下では、Qアノンが投稿で示唆する「バチカンの闇」は、陰謀論に心酔するQアノン支持者たちにとっては大きな説得力を持つのである。

●──フランシスコの即位と「聖マラキの予言」

他方、こうした闇を抱えるバチカンは、近い将来には崩壊し、ローマカトリックもろとも消滅するのではないかとの見方もある。Qアノンとは直接関係はないものの、これはQアノン支持者の多くが共有する陰謀論的世界観に含まれる重要なシナリオの一つだ。一二世紀から存在すると言われている「聖マラキの予言」である。

二〇一三年三月一三日、アルゼンチン出身のホルヘ・マリオ・ベルゴリオ枢機卿が教皇選挙（コンクラーベ）で第二六六代ローマ教皇に選出された。早速、フランシスコとして即位した。

かねてより「聖マラキの予言」では、次に即位する教皇はローマカトリック最後の教皇となる「ローマびとペトロ」とされていた。今回のフランシスコの即位についてどのように解釈すればよいのか、教皇史の専門家を巻き込んで激しい議論が巻き起こっている。

アイルランドの大司教であった聖マラキは一一三九年の初夏にローマを訪れた際、ローマを一望できるジャニコロの丘に登った。すると俄に変性意識状態となり、一一四三年に即位した一六五代ローマ教皇ケレスティヌス二世以降、一一二人の歴代教皇について予言を行なった。予言はその場で側近たちによって書き記されたが、内容に関しては四五〇年後まで明らかになることはなかった。

一五九五年にベネディクト会修道士アルノルド・ヴィオンがヴェネツィアで一八〇〇頁に及ぶ大著『生命の木』を刊行し、「聖マラキの予言」はその中で言及され、広く知られることになった。

したがって、聖マラキが執筆したとする史料は現存していないことから、アルノルド・ヴィオンによる偽書である可能性が高いとも言われている。

●───「モットー」の謎を解く具体的な記述

「聖マラキの予言」では、誰が教皇となるのかを、「モットー」と呼ばれるヒントで暗示している。また、教皇について簡単な解説が入ることもある。

問題を解く手掛かりとなる「モットー」は、教皇の名前、出生地、出生にまつわる出来事、関係の深い修道会の名前などである場合が多い。歴代の教皇のそうした情報を調べてみると、該当する「モットー」が確かに見つかるという仕組みになっている。

一九八八年のベストセラー『最後の教皇』を著わした教皇史の専門家で、アメリカにおけるノストラダムス研究の第一人者でもあるジョン・ホーグは、アルノルド・ヴィオンの『生命の木』が世に出た一五九五年以降の教皇全員を調べたところ、多くの教皇の名前が「モットー」で予言されているとした。仮に「聖マラキの予言」がヴィオンの偽書だとしても、その的中率の高さから見て、ヴィオン自身なんらかの特殊能力の持ち主なのではないかとしている。

ホーグによれば的中率は八四％と高いものであり、「モットー」の内容を厳しく吟味し、少しでも疑わしいものを除外したとしても七四％になるとしている。

「モットー」は、以下のように記述されている（ウィキペディアより引用）。

●第一〇八代　パウロ六世（在位一九六三〜一九七八）
モットー　花の中の花
事実　パウロ六世の紋章は「花の中の花」ともいわれる百合だった。

●第一〇九代　ヨハネ・パウロ一世（在位一九七八）
モットー　月の半分によって
事実　ヨハネ・パウロ一世は半月の日に生まれた。また、教皇就任の日に下弦の月だったことなどと結び付けられることもある。

●第一一〇代　ヨハネ・パウロ二世（在位一九七八～二〇〇五）
モットー　太陽の作用によって
事実　ヨハネ・パウロ二世は一九二〇年五月一八日、インド洋上で部分日食が観測された日に生まれ、二〇〇五年四月二日に八四歳で他界した。二〇〇五年四月八日に南太平洋から中南米にかけて、珍しい「金環皆既日食」が起こった。また、彼は地動説を提唱したコペルニクスが学び、彼の学説の基盤を作ったポーランドのクラクフ近郊の生まれである。

●第一一一代　ベネディクト一六世（在位二〇〇五～二〇一三）
モットー　オリーブの栄光
事実　ベネディクト一六世が襲名したベネディクトは聖ベネディクトゥスに因んで命名された。ベネディクトゥスは、オリーブの枝をシンボルとするベネディクト会の設立者。

こうしたものが、教皇予言における「モットー」の内容だ。こじつけのようにも思えるが、教皇の名と関係しているようでもある。

最後の教皇と「ローマびとペトロ」

昨今話題となっているのは、予言ではローマカトリックの「最後の教皇」と見なされている第一一二代の人物だ。聖マラキの教皇予言でも最後に書かれているものであり、以下のように記されている。モットーのほか、簡単な解説が加えられている。

モットー　ローマびとペトロ

ローマ聖教会への極限の迫害の中で着座するだろう。彼はさまざまな苦難の中で羊たちを司牧するだろう。そして、七つの丘の町は崩壊し、恐るべき審判が人々に下る。

当初は「ローマびとペトロ」はローマ出身の教皇であると予想されていたので、アルゼンチン出身のフランシスコとの関係をどのように解釈するのかが議論になっていた。

ちなみに、バチカンは公式に「聖マラキの予言」の存在は認めながらも、それが真実であることは否定している。しかし、二〇〇五年にヨハネ・パウロ二世の葬儀をあえて「金環日食」の日に行なうなど、聖マラキの教皇予言の妥当性を強化するような動きもしている。

そうした中、「ローマびとペトロ」とフランシスコとの関係を巡る三つの有力な解釈が出ている。以下紹介する。

❶「聖マラキの予言」は完全に外れた

一つは、フランシスコに関しては、「ローマびとペテロ」との結び付きを示すいかなる印しもないとする否定的な解釈だ。アルゼンチン生まれのフランシスコは、イタリア人ですらない。「聖マラキの予言」はまるで的中しなかった。したがって教皇とバチカンはこれからも続く。

❷ベネディクト一六世とフランシスコは同一の教皇として扱われている

次に、「オリーブの栄光」をモットーに持つベネディクト一六世はまだ生存しているので、「聖マラキの予言」ではフランシスコと同一のカテゴリーとしてひと括りにされているのではないかとする説だ。

普通、ローマ教皇はその死によって交替することになっている。「聖マラキの予言」もその前提で予言されている。よって予言では、まだ存命中のベネディクト一六世とフランシスコは同一のカテゴリーに括られ、二人で一人の教皇として解釈されるはずだ。

事実、フランシスコの本名は「ホルヘ・マリオ・ベルゴリオ」だが、「ベルゴリオ」はラテン語で「オリーブの山」の意味である。したがって、フランシスコの後に即位する教皇が本当の最後の教皇、「ローマびとペトロ」である。

❸フランシスコこそ「ローマびとペトロ」である

❶、❷に対して、フランシスコこそ「ローマびとペトロ」であるとする説がある。
二〇一三年三月一六日、ローマ教皇史の専門家ジョン・ホーグは長い記事を発表し、この説を全面的に支持するとした。根拠は二つある。

一つは、フランシスコがその名を採った「聖フランチェスコ修道会」の創立者、一二世紀の「アッシジの聖フランチェスコ」である。中世イタリアにおける最も著名な聖人の一人であり、イタリアの守護聖人となっている。本名は「フランチェスコ・デ・ピエトロ・デ・ベルナルドーネ」であった。「ピエトロ」とはラテン語ではまさに「ペテロ」である。

また、フランチェスコと「ローマびとペトロ」の繋がりはこれだけではない。現在はフランシスコとなったホルヘ・マリオ・ベルゴリオは、一九三六年一二月一七日、ブエノスアイレスのイタリア移民の子として生まれた。ちなみにブエノスアイレスは一五三六年二月二日、スペイン人ペドロ・デ・メンドーサの植民によって建設された町だ。

ペドロ・デ・メンドーサの「メンドーサ」をラテン語に訳すと「コールドマウンテン（冷たい山）」になる。また、「ペテロ」はラテン語では「岩」の意味だ。つまり「ローマびとペテロ」とは、ラテン語では「ローマの岩」のことである。これは、次のマタイ伝の一説を示唆しているのではないかというのだ。

「あなたはペトロ。わたしはこの岩の上にわたしの教会を建てる。陰府の力もこれに対抗できない」（マタイ伝一六章一八節）

さらにホルへ・マリオ・ベルゴリオは、ペドロ・デ・メンドーサが植民した一五三六年のちょうど四〇〇年後に当たる一九三六年に生まれている。

これらのことから、フランシスコは「ローマの岩（ローマびとペテロ）」として、非常に重要な役割を果たす最後の教皇になるのではないかというのだ。

ジョン・ホーグは、これはバチカンが「聖マラキの予言」を実現させる意志を示す、自己実現的な行動ではないかと主張する。つまりフランシスコは、鋭い人には「ローマびとペテロ」との関係が解るように、あえて印しを与えたのではないかというわけだ。

既にローマカトリックはペドフィリア、バチカンマフィアによる資金のコントロール、熾烈な権力闘争など、二千年間に蓄積された途方もない所業によって身動きが取れなくなっており、抜本的な大改革をするか、解体して消滅するかの瀬戸際に立たされている。

そこで新しく即位したフランシスコは改革者としてバチカンに挑戦状を突きつけ、その改革の過程で暗殺されて命を落とすか、またはバチカンが消滅するという危機的な事態も起こり得るとしている。

これらの三つの説が、教皇フランシスコに関する「聖マラキの予言」の解釈だ。

●――「エノクの預言」はプレアデス人との交信か

「聖マラキの予言」は、Qアノンのフォロワーをはじめ、アメリカのアングラ系陰謀論の文化では既に広く共有されている。そして高位聖職者のペドフィリアにより、多くの信者の信頼を失ったカトリックの現状を鑑みると、やはりフランチェスコを「最後の教皇」として、バチカンとカトリックは消滅するのではないかという疑念が起きてもおかしくない。

また欧米のアングラ系文化では、さらにその疑念を強化するものが存在する。「エノクの預言」である。いわゆる旧約聖書の「エノク書」とは別物だ。

スイスに、地球外知的生命「プレアデス人」とコンタクトしているとされるビリー・マイヤーという人物がいる。彼は日本でも一九八〇年代に話題になったので覚えている人も多いと思うが、UFOの動画などに違和感があるとして、インチキだとの評価も根強い。

しかし、最近のコンタクト記録は実に内容が深く、驚くべき記述が多い。二〇二〇年代の予言や人類の本当の歴史と未来、現代科学を遥かに超える宇宙観など、興味深い内容が含まれている。そうした中で突出して注目を集めているのが「エノクの預言」だ。

「エノクの預言」とは一九八七年二月二八日、プレアデス人と行なわれた第二一五回コンタクトの記録だ。二〇二〇年代のことと思（おぼ）しき預言であり、最後の教皇である「ローマびとペテロ」も登場する。

「預言が実現し始める時点、それはローマに教皇が居住しなくなるときであろう。そのときヨーロッパ中が、邪悪な権力により恐るべき折艦に見舞われるであろう。キリスト教は崩壊し、教会や修道院は灰燼に帰すであろう。

科学によって恐るべき力が作り出され、軍部やテロリストによって行使され、大規模な破滅が起こるであろう。数百万、それどころか数十億の人間がテロ行為や戦争や内戦によって殺されよう。そしてある所では、三人に一人、また別の所では四人に一人が命を失うであろう。

東の国家は西の国家に対して起ち上がり、西の国家は東の国家に対して起ち上がるであろう。戦闘機や爆撃機によって多くの人間が殺され、爆弾とミサイルが大小さまざまな村や町を破壊し、壊滅させるであろう。

これに対して人間は完全に無力であり、八八八日間に渡ってこの世のあらゆる地獄を体験し、飢餓と疫病に苦しめられよう。これらは今や、戦争そのものよりも多くの人間の命を奪うであろう。

かつて地球上に例を見ないほど苛酷な時代となるであろう。なぜならば、最後には何も買ったり売ったり出来なくなるからである。食料は全て配給制となるであろう。パンひと切れでも盗んだなら、命をもって支払わねばならないであろう。かつてエジプトのナイル川が血で赤く染まったように、多くの水域は人間の血が混じって赤みを帯びるであろう。

　イスラムの狂信者が決起してヨーロッパの国々を戦争で蹂躙し、それによって一切が激しく揺り動かされるであろう。西側では全てが破壊され、英国は打ち破られて、最も悲惨な状況に投げ込まれるであろう。イスラム狂信主義者とイスラム戦士は、長い年月に渡ってその権力を維持するであろう。

　しかし、こうした全てのことはヨーロッパだけに限られるものではなく、地球の全ての国と人間が巻き込まれるであろう。なぜならば、一切が世界中を巻き込む戦争へと拡大していくだろうからである」

「エノクの預言」では、このような地獄絵図が二一世紀の初めに訪れるとして、ローマ教皇に関しても次のように述べる。

「教皇権は新しい千年紀には、ごく短期間しか存在しないであろう。ヨハネ・パウロ二世は、最後から三人目の教皇となるであろう。彼の後にもう一人、司教が続き、その後に『ロマン人のペトロ』と呼ばれる大祭司が登場するであろう。

　その宗教的支配下で、カトリック教会は終焉を迎え、カトリック教会の完全なる崩壊は避けられないであろう。それは将来、地球と地球人を見舞う最悪の破局の始まりであろう。多くのカトリック教徒の聖職者、僧侶、司教、枢機卿、その他大勢が殺害されて大量の血を流すであろう。プロテスタント教会もカトリック教会と同様、極めて小さくなるであろう」

身の毛もよだつこの文章は一九八七年に書かれたものだ。当時のローマ教皇は確かにヨハネ・パウロ二世であった。その後にはベネディクト一六世が続き、その次が現在のフランシスコである。「ヨハネ・パウロ二世は、最後から三人目の教皇となるであろう」とは、まさにフランシスコから数えればその通りである。

Qアノンフォロワーを含むアメリカのアングラ系文化では、「エノクの預言」には、サタニストに支配されたあまりに醜いペドフィリアの悪徳に染まった、カトリックの末路が表わされているのではないかと評判になっている。

こうしたバチカンの闇とその末路に気づくことが、「大覚醒」の重要な要素の一つであると見なされているのだ。

第五章◉Qアノン支持者がざわめく「UFOとエイリアン情報」

as the global reserve currency
who holds the gold makes the rules."
Act of 1934
GENEVA
HQ?
Office of Strategic Services
1942-1945
CIA
1947
LANGLEY VIRGINIA
UN
1945
FEUDALISM
Bilderberg Group
1954
OPERATION HIGHJUMP
1947
Admiral Richard E. Byrd
ISRAEL
1948
King David Hotel
IRGUN
1931-1948
MOSSAD
Prince
Bernhard
NATO
1949
1956
PROJECT PAPERCLIP
Nazi US citizenship
SECRET SPACE PROGRAM
Allen Dulles
CIA Director '52-'61
1953 Iranian coup
1954 Guatemalan
BAY OF PIGS
1961
DWIGHT D. EISENHOWER
MILITARY INDUSTRIAL COMPLEX
1961
NSA
1952
"No Such Agency"
Henry
VIETNAM
GULF OF TONKIN
AGENT ORANGE
JFK ASSASINATION 11.22.63
"KING SACRIFICE"
"Zapruder Film"
CHILE COUP
9.11.1973
MK-ULTRA
MONTAUK PROJECT
RICHARD NIXON
1969-1974
WATERGATE
PENTAGON
PAPERS
The Church
Committee
1975
ANDREW BASIAGO
PROJECT PEGASUS
PROJECT LOOKING GLASS
GALLO
ILLUMINATI CARD GAME
1982
NRO
National Reconnaissance Office
1961
4th dimensional negative entities
AIDS
"LOOSH"
PINDAR
RONALD REAGAN
1981-1989
MEROVINGIAN
BLOODLINE
COUNCIL OF 13
SATURNALIAN
BROTHERHOOD
IRAN-CONTRA
1985-7
COMMITTEE OF 300
"Bloodlines of the
Illuminati"
THE CABAL
THE
THINK ROUND TANKS
TABLE
FINANCE
RESOURCES
INCUBATOR HOAX
GULF WAR
DESERT STORM
GULF WAR
SYNDROME
Highway of Death
"NEW WORLD ORDER"
BOSNIAN GENOCIDE
1995
BILL CLINTON
1993-2001
322
YALE
LOCKHEED MARTIN
1995
PRINCESS DIANA
1997 "QUEEN SACRIFICE"
ANTHRAX ATTACKS
ON MEDIA
VIGILANT GUARDIAN
GEORGE W. BUSH
Missing
Gold
OPERATION TRIPOD
9.11
KSA Kingdom of Saudi Arabia
AL QAEDA
Operation Cyclone
est. 1988
"TOWER SACRIFICE"
PNAC
CIA ASSET
WTC7
"PROJECT FOR THE NEW AMERICAN CENTURY"
NANOTHERMITE
IRAQ
INVASION
"A NEW PEARL HARBOR"
ARAB SPRING
GEORGE SOROS

「大覚醒」と「隠されたアジェンダ」

Qアノンの熱狂的な閲覧者(フォロワー)は急速に増えている。

彼らは一元的な層の人々ではない。ユーチューブにはQアノンの投稿を解読する動画が溢れ、ネットには投稿をリサーチしてまとめたブログなどが氾濫している。そうしたものを丹念に調べていくと、Qアノン支持者には明らかに二つの年齢層のグループがあることが判る。

一つは四〇代から七〇代の層であり、いわゆる「ベビーブーマー」と呼ばれる比較的年齢の高い保守層だ。彼らはもはや政治・経済が金融資本とグローバル企業に支配され、本来のアメリカの民主主義が機能しなくなった体制に憤慨し、アメリカを国民の手に取り戻すための革命を志向している人々である。彼らの関心は、基本的に国内問題に向いている。

他方、二〇代後半から三〇代前半の「ミレニアル」と呼ばれる若い世代がいる。彼らはベビーブーマー世代と同じ価値観と世界観を共有しながらも、それを超えた〝アジェンダ(行動計画)〟の存在を信じている。この世には人類の行く末に影響を与える巨大なアジェンダが存在しており、Qアノンが投稿で暴露している闇の陰謀は、その一部なのだという見方だ。

実際はQアノンがアジェンダの存在を語っているわけではないが、Qアノンを信奉するミレニアル世代は強く信じているのだ。「大覚醒」という語句は、実はこうしたミレニアルが考えたものである。

「大覚醒」とは、これまで述べてきたペドフィリアに表わされているように、バチカンやアメリカ支配層の闇の存在を認識し、それに対して戦いを挑むだけではなく、その背後に潜む宇宙的なアジェンダの存在に気づき、このアジェンダから解放される戦いをなし始めなければならない、という認識だ。

この章では、Qアノンのミレニアル世代のフォロワーたちが心酔する二人の人物を紹介し、彼らが信じている「隠されたアジェンダ」とは何かを見ることにしよう。

◉――スティーブン・グリア博士が警告する軍産複合体の実態

一人目は、スティーブン・グリア博士である。

グリア博士は、一九九三年から自らが主宰する『ディスクロージャー・プロジェクト』で発掘してきた極秘プロジェクト関係者の証言を纏(まと)め、アメリカの軍産複合体の実態は巷間伝えられるよりも遥かに巨大な組織であり、UFOや地球外生物にも関係している事実を報告した。

一般に軍産複合体というと、第二次世界大戦とその後の冷戦期に肥大化した軍需産業が国防総省(ペンタゴン)と癒着し、既得権益を維持するためにホワイトハウスや連邦議会に圧力を掛けるパワーグループというイメージだ。

軍産複合体を初めて公に警告したのは、第三四代大統領ドワイト・D・アイゼンハワーだった。一九六一年一月一七日、アイゼンハワーは退任演説で第一次・第二次世界大戦という巨大な戦争があったため、国内の軍需産業が肥大化し、もはやコントロール不能な状況になっているとして、次のように警告した。

「軍産複合体の影響力が、我々の自由や民主主義的プロセスを決して危険に晒すことのないようにせねばなりません。何ごとも確かなものは一つもありません。警戒心を持ち、見識ある市民のみが、巨大な軍産マシンを平和的な手段と目的に適合するように強いることが出来るのです。その結果として、安全と自由とがともに維持され、発展していくでしょう」

さらに後任の第三五代大統領ジョン・F・ケネディは、一九六一年四月二七日にニューヨークでマスコミ関係者に向けて、軍産複合体が国家をも支配する巨大な存在であることを示唆するスピーチを行なっている。

「秘密主義は、自由な社会においては矛盾を引き起こします。侵略ではなく潜入活動に、選挙の代わりに破壊活動に依存する非情な陰謀に対して断固反対する私たちは、とても深刻な危機の中にいます。彼らは秘密裏に準備を進め、それを公にすることはありません。失敗は隠蔽され、マスコミで取り上げられることは決してありません。反対する人は口を封じられ、称賛されることはありません。

「ディスクロージャー・プロジェクト」を主宰する
スティーブン・グリア博士

軍産複合体が 政府機関の中で
不当な影響力を持たないよう――

軍産複合体の脅威を語る
アイゼンハワー大統領の退任テレビ演説

この仕組みは、膨大な人員と物的資源を集め、軍事、外交、諜報、経済、科学および政治戦略の分野で活動を行なう、効率的で結束の固い機械（マシン）のような集団を作っています。私たちは市民として秘密の社会、秘密の誓約、秘密の活動に反対しています」

「影の政府」の途方もない規模

ケネディ大統領の言葉にある通り、現在の軍産複合体は五〇〇〇億ドル（約五五兆円）の規模に達するアメリカ国内最大の産業であり、国防総省と米軍部を中心に、多数の軍需関連企業や民間軍事会社が結び付いた複合体を形成している。

国防総省、米軍、軍事関連企業は人的に深く結び付いていて、国防総省と米軍の高官は当然のように民間軍事産業に幹部として天下りしている。日本でも著名なリチャード・アーミテージやジョセフ・ナイなどの「ジャパン・ハンドラー」は、こうした軍産複合体の代理人（エージェント）であることはよく知られている事実だ。

ところがグリア博士は、「影の政府」はこのような程度ではなく、遥かにとんでもない規模の組織であることを明らかにした。

グリア博士はバージニア州の内科医・救急救命医である。前述のように、一九九三年から本業の傍（かたわ）ら、政府が隠蔽しているＵＦＯとエイリアン関連の情報公開を求める『ディスクロージャー・プロジェクト』や、地球外生物とのコンタクトを推進する『ＣＳＥＴＩ（地球外知性研究センター)』などのプロジェクトを主宰してきた人物だ。

グリア博士は、政府の極秘プロジェクトのメンバーや実際に関わった経験を持つ人々に接触し、彼らが体験したことを証言してもらう活動を長年続けている。これまで軍人、科学者、エンジニアなど、かなり多数の内部告発者が証言し、政府の極秘プロジェクトとUFOおよび地球外生物の実態が明らかになってきた。

二〇〇一年からは首都ワシントンに多くの証言者やグリア博士を支持する上院・下院議員が結集し、UFOや地球外生物に関する情報公開を政府に要求する「市民による公開ヒアリング」が数年おきに開かれている。

そしてこのような調査の過程において、軍産複合体の「影の政府」としての実態が明らかになってきたのだ。それはまさに驚愕であった。

グリア博士は二〇一五年一一月二一日、これまでの活動で明らかになった事実を総合的に公開した。プレゼンテーションは四時間を超え、「影の政府」の真実の姿を余すところなく暴露した。博士は事実を報告し、具体的な証拠を整然と提示したうえで、政府が主導する極秘プロジェクトの実態と、UFOや地球外生物の真実について明らかにしたのである。

極秘プロジェクトと「影の政府」

極秘プロジェクトの始まりは一九五四年に遡(さかのぼ)る。

この年、地球外生物のＵＦＯが飛来し、それを米空軍機が撃ち落として、搭乗員を射殺するという事件が発生した。空軍は地球外生物とＵＦＯを捕獲したものの、社会がパニックになるのを恐れ、情報の全てを隠蔽する決定を下した。その結果、ＵＦＯと地球外生物の情報を隠蔽する特殊な機関「ＭＡＪＩＣ（マジック）」が創設された。

この組織は、一九四七年から一九四九年にかけて成立した「ＣＩＡ設置法」を利用して、連邦政府の省庁で遣い切れなかった余剰予算を活動資金とした。当初は比較的小規模の組織だったが、次第に肥大化し、現在では「影の政府」と呼ぶに相応（ふさわ）しいほどの規模になっている。

それを証明する事実が明らかになった。二〇〇一年九月一〇日、合衆国下院軍事委員会のシンシア・マックニー下院議員は、当時の国防長官ラムズフェルドを審問し、一九九九年度までの国防総省の使途不明金が二兆三〇〇〇億ドル（約二五〇兆円）もの巨額となったことを指摘し、何に遣われたのかを詰問した。国防長官はこの問いに答えることが出来なかったが、翌日九月一一日に９１１同時多発テロが起きたのである。

アメリカの当時の国家予算はおよそ二兆六〇〇〇億ドルだ。国家予算に匹敵する規模の金額が使途不明になっていたとは、一体どういうことなのか。

グリア博士によれば「ＭＡＪＩＣ」の隠れ予算になっているとのことである。まさに「影の政府」の規模だ。

「影の政府」の四つの部門とその活動

しかも、二兆三〇〇〇億ドルというのは二〇〇〇年前後の金額であり、現在は遥かに増大している。二〇一六年七月二八日に公開された国防総省監査局長の報告書では、使途不明金は総額六兆五〇〇〇億ドル（約七〇〇兆円）に達していることが明らかになっている。その多くが「影の政府」の資金源となっていると見て間違いなさそうだ。

グリア博士は、彼らの資金源は次の五つの分野から包括的に賄（まかな）われているという。

❶「CIA設置法」による余剰予算の獲得
❷ウソのプロジェクトをでっちあげ、議会の承認のもとに予算を獲得
❸「影の政府」を構成する軍需企業のテクノロジーを商品化し、その売上を獲得
❹麻薬取引への世界的な規模での関与
❺金融産業の金融取引から掠（かす）め取る

❶は既に述べたが、注目すべきは他の資金源だ。
まず❷だが、これは「影の政府」が議会にプロジェクトを提出するための専門企業を幾つか作り、その会社を通して予算を得る方法だ。おそらく❶とともに使途不明金に相当するものと

思われる。

最も重要なのは❸だ。実は「影の政府」といっても、国防総省と軍部が関与している部分は四分の一程度に過ぎず、残りの四分の三は民間企業が運営している。

グリア博士のプレゼンテーションでは二〇社ほどの企業名のリストを示し、軍需とＩＴの主だった大企業が「影の政府」の実際の構成母体であることを示した。それらには、ロッキード・マーチン、グラマン、ボーイングなどのほか、アップルやグーグルなどの企業名も見える。

ちなみに、これらの企業の「影の政府」に関わる部分は極秘部門とされ、関係施設は地下に存在する。こうした施設のうち「エリア51」だけが広く知られているが、それはほんの一部にしか過ぎない。エリア51を上回る規模の施設がほかにいくらでもあるのだ。

こうした民間企業が開発したテクノロジーを商品化し、その売上から得られる資金が「影の政府」の重要な資金源となっている。これら最先端テクノロジーの一部は、地球外生物から得たテクノロジーのリバースエンジニアリング（逆行工学。先進技術やノウハウを自製品に応用すること）によって得られたものだ。

そして❹だが、なんと世界の麻薬取引の八割が「影の政府」の組織の支配下（コントロール）にあるという。グリア博士によると、約八〇〇〇人規模の部隊が担当している。

だが、真に興味深いのは❺である。金融産業が金融取引に使用するオンラインのネットワークを操作し、あらゆる金融取引から金を掠め取る方法があるという。一回の金融取引から引き抜かれる金額は僅かであるものの、世界中の取引で詐取を繰り返すことで莫大な金額になる。

グリア博士の詳細な報告によると、一般に知られている軍産複合体はほんの一部分であることが判る。本体は「影の政府」であり、その活動は遥かに広く、次の四つの方面で展開されているという。

①政治経済操作部門

世界統一政府が支配する超社会主義体制に移行させるために、現在の社会を政治経済的に操作するプロジェクト。いわゆる「ニュー・ワールド・オーダー」の実現である。

このプロジェクトは、世界的な金融資本と深く結び付いて活動を展開している。父子二代に渡る米ブッシュ政権は、この部門のメンバーが創った政権だった。ディック・チェイニー元副大統領なども全てメンバーである。

②終末預言操作部門

キリスト教、イスラム教、ユダヤ教など、一神教が内包している預言のシナリオに近い現実を操作的に作り出し、「終末が迫っている」という恐怖を社会に与えることを目標にしたプロジェクト。

そうすることで人々は宗教原理に洗脳された状態となり、理性的な判断力を失い、行動を操作することが容易になる。やがて人々の間には、世界統一政府という絶対的な権威に全面的に自らを委ねる奴隷的なメンタリティーが醸成される。

グリア博士のプレゼンテーションにはなかったが、二〇〇九年頃から世界各地で発生している空全体が鳴り響く「トランペット音」は、この部門が創り出している現象かもしれない。この異常現象は、新約聖書の「ヨハネの黙示録」にある終末に訪れる「七つのラッパ」ではないかとして、キリスト教徒を震撼させている。

このトランペット音は、実は二〇一一年の映画『レッド・ステイト』が公開された直後から突然、世界各地で聞こえるようになった。『レッド・ステイト』は、「ヨハネの黙示録」が予告する世界の終末が近いと信じたキリスト教原理主義の教団が、武装して立て籠もり、ＦＢＩと銃撃戦になるというストーリーである。

映画のラストでは、「ラッパ音」が空全体に鳴り響き、「ヨハネの黙示録」の終末の到来と信じた教団メンバーが狂喜する場面がある。この映画の公開後、北米やヨーロッパなどのキリスト教圏を中心に、まさに映画と同じ「ラッパ音」が空全体に轟いたのである。

③ 敵の生成部門

「影の政府」の組織が生き残っていくためのプロジェクト。「影の政府」が現在の形態で今後も存続するためには、どうしても〝敵〟の存在が必要となる。世界の緊張緩和が決定的になり、脅威が存在しない平和な状況が生まれてしまうと、国防予算や情報機関の予算をはじめ、アメリカ政府予算の大きな削減が図られる。国防予算を政府から掠め取ることで存続している「影の政府」にとっては、これは大きな脅威だ。したがって、防衛関連の予算を確保し続けるために外部の敵が必要になるのだ。

米ソが対立する冷戦期には明白な敵が存在していた。冷戦の終結以後は、国際的なテロリズムが共通の敵となった。今がその状態なのだが、このまま永遠に続くわけではない。そこで国際的なテロリズムの時期が終焉したときは、今度は地球を攻撃するエイリアンを永遠の敵として煽ることで目的を実現しようとしているという。

●——グレイタイプは「影の政府」が創ったクローン

グリア博士によれば、地球外生物は実際に存在する。しかし、ほとんどは精神性が非常に高く、地球を攻撃したり、侵略する動機も意図も全くないという。むしろ人類の精神的な進化を促すために地球に来ているケースがほとんどとのことだ。

そのため、「影の政府」の③の部門は、将来、必要となる敵としてのエイリアンの恐怖を人々にあらかじめ植えつけておくために、「グレイタイプ」という人造のエイリアンを使って、多くの民間人を拉致してきた。

グリア博士は、実際にグレイタイプの地球外生物は存在すると言うが、ここでいうところのグレイタイプは、本物の存在に似せて製造された生物機械だ。

当初、こうしたグレイタイプは、小柄の軍人が着ぐるみを用いて成りすましていた。そしてリバースエンジニアリングの技術で製造されたUFOに乗り込み、民間人の居宅に侵入し、拉致を繰り返したのである。

グリア博士のプレゼンテーションでは、実際にグレイタイプに成りすましていたという元軍人にインタビューした経験を語っている。彼らは偽エイリアンによる拉致作戦を本当に実行しており、あっけらかんと「あれに入っていたのは俺だよ」と証言したという。

しかしその後、クローンテクノロジーが進歩し、グレイタイプは生物学的なロボットとして製造することが可能となった。クローンの作成に必要となる細胞はウシから大量に採取できるが、これは一時期、「キャトル・ミューティレーション（動物の死体が内臓や血液を失った状態で見つかる怪現象）」として大きな事件となり、世間を騒がせた。今では、グレイタイプのクローンはベルトコンベアの流れ作業で組み立てられているという。

脳を支配するチップの埋め込み

また、グレイタイプによって拉致された人々には「チップ」が埋め込まれることが多い。このチップは一九七九年に初めて開発に成功したもので、埋め込まれた人間の脳に作用して音や声が聞こえたり、映像が見えたり、さらには思考を操作することが出来るという。人間に神秘体験をさせることも可能になっている。

プレゼンテーションでは、死後に公開を許されたウィリアム・パウレックのインタビューが紹介された。

パウレックはエンジニアとして「影の政府」に雇われた人物で、埋め込み型高機能チップの開発の経緯と機能について詳しく証言した。証言によれば、チップが埋め込まれると外部からＷｉＦｉのような電磁波が照射され、皮膚振動を通して直接、脳の中で音が聞こえるようになるという。

④リバースエンジニアリング部門

政府が地球外生物のＵＦＯを捕獲したのは一九五四年だった。その後、時間を掛けながらＵＦＯのリバースエンジニアリングに成功し、人間がＵＦＯを製造できるようになった。

ＵＦＯは「ゼロポイントエネルギー」を利用して飛行するシステムだ。ゼロポイントエネルギーとは、特定の強度の磁場を作ることで物質の質量をゼロにし、空間での推進力を得る技術である。現在、「影の政府」はこれらのＵＦＯを「フラックスライナー」と呼び、大量に製造しているという。

以上が、「影の政府」を構成している四つの部門である。

グレイタイプの宇宙人の存在や宇宙人による拉致事件（アブダクション）とされていたものが「影の政府」の仕業であり、実際の地球外生物とは全く関係がないという事実に驚く。また、①の政治経済的な状況を操作して「世界統一政府」を作り出すという計画も興味深い。なぜなら、これは一般には「イルミナティ」の策謀としてよく知られたものだからだ。イルミナティに纏（まつ）わる数々の言説は「影の政府」の一部門による〝偽装〟の可能性もある。

スティーブン・グリア博士のプレゼンテーションには非常に説得力があるように思われる。もし真実であれば、私たちは「軍産複合体」や「イルミナティ」などに対する概念（イメージ）を根本から改めなくてはならないだろう。

●――リンダ・モートン・ハウとエイリアンの使命（アジェンダ）

Qアノンの若きフォロワーたち、ミレニアル世代が固く信じている「大覚醒」の内容の一つを見てきたが、もう一人、スティーブン・グリア博士が告発する「影の政府」を超えて、異星人を巻き込むアジェンダが存在すると主張する人物がいる。

リンダ・モートン・ハウは、一九八〇年代にアメリカ三大テレビネットワークの一つ、ABC系列のテレビ局で科学ドキュメンタリー番組を制作していたテレビディレクターだ。一九八八年にはテレビ界のアカデミー賞といわれるエミー賞を受賞し、その後、一九九〇年代からは取材の範囲をUFOや地球外生物に広げ、現在に至っている。

リンダ・モートン・ハウと彼女のサイト

EARTHFILES

Reported and Edited by Linda Moulton Howe

Tune in Earthfiles YouTube Channel LIVE Wednesdays @ 9:30pm Eastern/6:30pm Pacific — https://www.youtube.com/earthfiles

Countdown Clock Piano Music: Ashot Danielyan, Composer

Click to view trailer.

MARCH 19, 2020

California's Gov. Gavin Newsom Has Ordered All 40 Million Residents To Stay At

Search

Login

Antarctica:
Alien Secrets Beneath the Ice

Earthfiles Shop

Subscribe Now

Donate

Conferences & Appearances
by Linda Moulton Howe

Earthfiles YouTube Channel

Click to subscribe to the Earthfiles YouTube channel

Archive

Environment

Real X-Files

ハウの手法は徹底した調査報道だ。ＵＦＯや地球外生物の目撃情報があると、まずは現地に赴き、全ての関係者の証言を集め、実際に何があったのかを明らかにする。そのため、リンダ・モートン・ハウは現代科学では説明できない未知の領域の報道に関して最も信頼されている著名な取材者(リサーチャー)であり、政府機関や軍部で極秘のＵＦＯプロジェクトに関わっていた内部告発者には、自身の体験や情報を告白する最良の相手として選ばれている。

つまり、この分野の真実の解明においては、前述した『ディスクロージャー・プロジェクト』のスティーブン・グリア博士と、このリンダ・モートン・ハウが双璧であるといっていいだろう。

彼女は『ディスカバリーチャンネル』やラジオ番組『コースト・トゥ・コーストＡＭ』のレギュラー出演者であるとともに、取材で得た情報を『アース・ファイルズ・コム（Earthfiles.com）』という自身のサイトで公開している。全文英語であるが、英語が解らなくても画像や動画が多いので興味深い情報が得られるはずだ。

ハウはこれまで三〇年に渡る調査から、地球には多くの種類の異星人が既に来訪しており、彼らには人類を利用した独自のアジェンダがあると主張している。

彼女には毎週発表している膨大な調査結果があるが、二〇一九年一月にそれらを纏めて平易に解説しているので、彼女の報告を要約して紹介する。奇想天外な内容ではあるが、これがミレニアル世代が信奉する「異星人のアジェンダ」なのだ。

魂を移動させる極秘テクノロジー

地球外生物とのコンタクトを調査していると、彼らには死に直面した人間の魂を別の身体に移送して、人生を継続させる特殊なテクノロジーを持っていることが判るという。それは、地球外生物の独自のアジェンダを実現するために、その人物を生存させておく必要があるときに行なわれるようだ。

彼女がインタビュー取材したリンダ・ポーターという女性は、そうした体験をした人物だ。ハウはアブダクション（拉致・誘拐）を体験した多くの証言者にインタビューしたが、彼らは体外離脱体験に満ちている。リンダ・ポーターが一七歳のときに体験したことも、そうしたもののうちの一つである。

リンダ・ポーターは心臓に持病があり、具合が悪かった。ある日ベッドの上にトンネルの入り口のようなものが開き、そこからグレイタイプに似た生物が複数出現し、彼女をトンネルの中に引き込んだ。それは鳥肌が立つような体験だった。

すると、ある部屋の中にリンダ・ポーターはいた。周囲にはグレイタイプのように見える地球外生物と思しき存在がおり、少し離れたところに三つの長いチューブのような容器があった。それらにはそれぞれ人が入っていた。

グレイタイプはリンダ・ポーターに交信し、これから左側のチューブに入っている初老の人物の魂を、右側のチューブの若い身体に移すという。初老の人物は心臓病で死期が近いとのことだ。彼らのアジェンダを実行するためには、一定期間この人物に生きていてもらわなければならないので、こうするのだという。そして、これからリンダ・ポーターにも同じことをするという。

なぜ魂の移送が必要とされるのか

ハウがインタビューした多くのアブダクティー（拉致被害者）は、同じような体験をしている者が多い。以前の自分とは異なる身体で生きているという意識を明白に持っている。これは一度死を迎えながらも、魂が他の身体に移送され、別の場所で別の人物としての人生を歩んでいる人間がいることを表わしている。

証言記録から判ることは、地球外生物がこのような魂の移送を行なうのは、地球という惑星が嵌（はま）り込んでしまった現在のネガティブなタイムライン（時間線・時間軸）を変更するためであるということだ。

今の地球は度重なる自然災害のタイムラインに嵌り込んでおり、このまま進むと非常に危険な状況に追い込まれる。それを回避するためにタイムラインの変更を試みている。そのためには特定の人物が特定の期間、生存していることが必要になるという。

しかし、こうした地球の危険なタイムラインは、実は地球外生物が作り出してしまったものでもある。彼らにはタイムラインを変更できる高度なテクノロジーがあり、地球のタイムラインも何度も実験的に変更されている。しかしタイムラインの変更を何度も行なうと、複数存在する異なったタイムラインが衝突してしまい、パチンと時間が弾けるような現象が起こる。すると、そこで地球は存在しなくなる。

地球外生物の度重なる実験の結果、今、地球はこの最悪な状況に置かれている。だから、「時間の弾け」が起こる前に適切なタイムラインを再構成しなければならない。これが魂の移送を行なう理由である。

ところで、このような時間を操作するテクノロジーは、極秘裡にアメリカ政府が開発しているテクノロジーでもある。これには多くの証言者がいる。

一九八八年、「エリア51」の技官だったボブ・ラザーは、地下の施設でエイリアンから供与された時間を操作するための装置を見せられた。ラザーを案内した科学者は「これが目下研究している時間操作のテクノロジーだ」と豪語したという。

その科学者はテーブルに置かれたロウソクに点火し、装置のスイッチを入れた。すると、揺らいでいるロウソクの火の動きが完全に止まり、ロウソクが融けるのも止まったという。

●――エイリアンを指揮・監督する「上位存在」

アブダクティーのリンダ・ポーターの体験に戻る。チューブに入れられた男性の身体から魂を抜き取り、それを別の身体に移送するテクノロジーだが、移送のために必要となる容れ物として身体はいつでも用意されているという。多くのアブダクティーは、ＵＦＯの内部でエイリアンから身体の組織の一部を採取されているが、これらのアブダクティーは、エイリアンに必要な人物の魂を移送する容器として保存されているようだ。

リンダ・ポーターは、魂の移送の光景を視ていると、エイリアンはやってはいけないことをやっているという雰囲気を強く感じた。魂の移送だけではなく、時間の操作も禁止されているように感じたという。

実際、エイリアンによるとそうした行為を禁止している〝上位存在〞があるという。それは幾つものエイリアンの種族の上位に存在する何者かで、時間操作や魂の移送を禁じているのだという。リンダ・ポーターは、自分を拉致したエイリアンは明らかに禁を犯していると感じた。

上位存在は〝シンボル〞を介してコミュニケートしてくるという。それは数学的なシンボルではなく、感情の直接的な反応を引き起こすようなシンボルだ。そこには解釈の齟齬が起こる可能性は全くない。シンボルから発せられるのは感情波で、三次元のホログラフのようなイメージとして直接送信される。

上位存在が特定の地域からある人物を排除したいときは、強い恐怖を起こさせる感情波を照射する。すると恐怖心が湧き起こり、その人はそのエリアに入ることが出来なくなるという。

「時間操作」を警告するエイリアンの宇宙観

また、リンダ・ポーターを拉致したエイリアンは、自分たちの宇宙観も説明してくれた。彼らエイリアンによると、「この宇宙は多くの異なった次元の周波数で構成されている」という。それぞれの周波数に対応した世界が存在し、それらは互いに干渉し合うことはない。次元の異なる周波数の世界は、それぞれに分かれて別々に存在している。

だが、我々のこの世界で時間を操作すると、我々の周波数の世界に穴を開けてしまうことがある。そうすると世界は崩壊する。さらに他の周波数の世界にも影響を与え、ドミノ倒しのように崩壊の連鎖が進んでしまう。そうなると宇宙全体の時間の崩壊にまで繋がる。現在アメリカ政府は「エリア51」などの施設でこうした時間操作の実験を行なっているが、それは非常に危険なことだという。

リンダ・ポーターは、自分を拉致したエイリアンから直接このような話を聞いた。彼女はエイリアンの話の意味を全ては把握できなかったものの、アメリカ政府は実際に時間操作の実験を行なっている可能性があり、エイリアンはそのことを警告したのではないかと語っている。

ジュディー・ドーティーの奇妙な体験

またリンダ・モートン・ハウは、ジュディー・ドーティーという人物の体験には一貫性があったと言う。

ハウは、一切出血することなく家畜の身体の一部が切り取られる「キャトル・ミューティレーション」の事件を多く取材し、『ストレンジ・ハーベスト』というドキュメンタリー番組を制作したが、そのときに取材した一人がジュディー・ドーティーである。

ジュディー・ドーティーは、車を運転しているときに拉致（アブダクト）された。彼女は記憶を失っていたが、心理学者の催眠術で記憶が蘇ったのだ。彼女は、自分がキャトル・ミューティレーションの現場を目撃していたことを知った。そして次のように証言した。

「私の車の後ろから、フラッシュライトのようなものが見えた。すると、私は車の横にいる自分だけではなく、UFOに吸い上げられ、UFOの中にいる自分の両方を意識した。

家畜がUFOに吸い上げられていた。エイリアンは家畜の体を切開したが、家畜はしばらくの間生きていた。彼らは家畜の心臓には興味を示さなかった。私はその光景を見て気持ちが悪くなった。

UFOの中には部屋があり、私もそこにいた。私の周囲には三人のエイリアンがいた。彼らは瞬（まばた）きしない大きな目を持ち、長い指があった。ヘビのような顔であった。私が家畜をさばいている光景を見ていると、彼らは私にテレパシーでコミュニケートしてきた。彼らが言うには、人類の核兵器と核廃棄物は極めて危険であり、自分たちにも危険が及ぶので、それを回避するためにやっているのだということだった。

それを聞いて私は少し安心した。すると彼らは、自分たちは長い間地球を監視しており、生態系も監視対象だと言った。私は彼らに、『あなた方にそれほどの知識があり、人類の危機が回避できるように監視をしているのであれば、なぜ直接介入し、危機を回避しないのか』と訊ねた。すると彼らは急に怒り出した。

やがて私は、一緒に車の中にいた娘のシンディーの身体が、UFOの部屋の中にある台の上にあるのを見た。家畜と同じように、彼らがシンディーの身体を切り刻むと思った私は、大変に恐怖した。だが、彼らはシンディーの口の中から何かのサンプルを抽出しているだけだった」


これらは、ジュディー・ドーティーの四時間に渡る催眠による証言のほんの一部だが、エイリアンの計画の目的の一端に触れることが出来る貴重な証言である。

●——ワシントンの軍関係者の決死の証言

また、エイリアンの隠された計画に関して、さらに信憑性の高い証言がワシントンの匿名の軍関係者からもたらされたという。

この関係者は、自分が遭遇した地球外生物を「イーブンズ」と呼んでいた。彼らはグレイタイプのように見えるが、頭部が梨のような形をしているのが特徴で、三角形の頭部を持つグレイタイプとは異なっている。彼らは「ゼータ・レティキュールエニ」という、二つの太陽を持つ太陽系（の惑星）から来ているとのことだった。その惑星は砂漠の惑星で、夜でも空は明るいという。

このワシントンの軍関係者は、リンダ・モートン・ハウをニューメキシコ州カートランド空軍基地に連れていき、そこである文書を見せた。それは、ある大統領に状況説明（ブリーフィング）した際の報告書であり、そこにははっきりと次のように書かれていたという。

「現代の人類は、当時の地球にいた原始的な類人猿のDNAを、イーブンズが操作して創り出した」

その軍関係者は、ワシントンでこの情報を知ることになった人々は「この情報が公開されることになる時代には生きていたくない」と語っていたという。

また彼は一九四九年に起こったある出来事を教えてくれた。この年にイーブンズのUFOが墜落した事件があった。そのときUFOの内部にいたイーブンズの飛行士の一人は生きていた。

そして墜落の調査にやってきた空軍大尉にテレパシーでコミュニケートしてきたという。

その大尉は、とても正確にメッセージを受け取ることが出来る優れた能力を持っていた。このイーブンズは「エバワン」と名づけられ、空軍大尉とともに生活することになった。

「エバワン」は一九五二年に死亡するまで、さまざまなメッセージを伝えたが、中でも重要なものは、「我々が君たちを作り、ここ（地球）に置いたのだ。この事実を受け入れて生きなければならない」というものだった。

もし、このことが真実であれば、魂を別の身体に移送する技術を目の前で見たリンダ・ポーターの体験にも説明がつく。イーブンズは生殖能力をなくしているようなので、もはや新たな人口の産出が出来なくなっているのではないだろうか？　そのため、種族の魂を保存する肉体として、人類を使っているのではないだろうか？

ということは、イーブンズの魂を宿した人類が沢山いるということになる。地球にはそうした人々が普通に生活しているのかもしれないと、ハウは言う。

●――ついに告白した「ＭＪ12」秘密要員

ハウが三作目の著書を出版した直後、当時住んでいたフィラデルフィアの自宅に電話があった。電話の主は男性だったが、名乗らずに、「君のこの本によって、ワシントンの『ＭＪ12』は蜂の巣を突いたような大変な騒ぎになっている。おめでとう」と彼女に告げた。

その後、ハウはＭＪ12の元メンバーという二人の人物の証言を得た。彼女は彼らの身元が判らないようにするため、一人の人物として描写し、「シャーマン」と名づけることにした。

シャーマンによれば、イーブンズとグレイタイプは明らかに異なった存在であり、人類を支援しているのはイーブンズのほうだと言った。シャーマンはイーブンズの装置を触ったことがあるとも言っていた。それは、黄色いシンボルが光ると3Dのイメージがホログラムのようにして浮かび上がるものだった。

また、シャーマンは彼女にMJ12の歴史について教えた。MJ12は実際の組織として実在しており、一九四七年にトルーマン大統領によって結成された。任務は地球外生物を調査し、彼らの技術をリバースエンジニアリングで獲得し、一般大衆にはUFOと地球外生物の存在を隠蔽することだった。一九九〇年代になると、MJ12は名称を「E2」と変更した。

ところで、地球を訪れている地球外生物だが、昆虫型からヒューマノイド型までかなりの種類が存在している。しかし、その多くはクローニングの技術で造られたものなので、どの種族が大もとなのか、判断が出来なくなっている。シャーマンの話だと、おそらく四種類のヒューマノイド型と一種類のグレイタイプがいるのではないかとしている。だが、そうした種族も大もとの一つの種族が創ったものなのかもしれない。

エリア51の秘密組織に勤務していた科学者ボブ・ラザーも、イーブンズに関する興味深い体験を証言している。

ボブ・ラザーは、エリア51で『ソウル123』という奇妙な題名の書籍を見ることが出来た。一見、それは一般の本とは変わらなかった。しかし本を開くと、それはおよそ我々が知ってい現するのだ。

そのイメージは、地球上のありとあらゆる分野をカバーしていた。いわば地球の歴史がホログラフのイメージで現われたかのようだった。また、それぞれのイメージはちょっと指で動かすと、人体を解剖するように内部まで見ることが出来る。

本を逆さまにしてページをめくると、今度はイーブンズの出身惑星ゼータ・レティキュールエニの文明のイメージが3Dとして現われた。それは、地球史とゼータ・レティキュールエニの歴史の両方を学ぶことが出来る本だったのだ。あまりにも進んだテクノロジーだ。

だが、この3Dのホログラフは、フィルムのような記録媒体ではない。イーブンズは、実際の時間をそのまま凍結して保存したのだという。

テクノロジーの詳細は全く解らないが、イーブンズは時間をいつでも凍結することができるテクノロジーを持っているので、それぞれのページは現実に起こった出来事をそのまま凍結して保存したものだというのである。この件ではさすがにボブ・ラザーも説明に窮していた。

異星の恐竜動物園と「キャトル・ミューティレーション」

シャーマンの証言に戻るが、彼はイーブンズが初めて地球にやってきたのは、恐竜が出現するよりも少し前の時代だったという。それ以来、彼らは地球上の生命を収穫している。イーブンズは全ての恐竜の種族からサンプルを選び、出身惑星に持ち帰った。そして、そこで動物園のような施設を作り、保管した。

イーブンズはこれと同じようなことを現在も行なっている。それがキャトル・ミューティレーションだ。だが、キャトル・ミューティレーションには、イーブンズの仕業であることを世間から隠すために、ＭＪ12が行なっているものもあるので注意が必要である。

しかし、イーブンズは地球の環境保護には関心が高い。人類は核と原子力の本当の危険性を理解していないので、このまま行くと人類とともに地球も滅んでしまうとして危惧している。

●魂のリサイクルと人類とのハイブリッド（交雑種）

イーブンズによると、「人間の魂はリサイクルされる」という。リサイクルとは輪廻転生（りんねてんしょう）のことだ。

全宇宙には、リサイクルが可能な有限の数の魂が存在している。魂の数は「上位存在」が決めている。魂の容器となるものが物理的な身体である。

人間が死ぬと魂は別の容器に入れられる。容器とは身体のことだ。それは、ある容器に入った液体を別の容器に移し替えるようなものだ。このとき、前の容器に入っていたときの記憶、つまり前世の記憶が一部引き継がれる。

実際、消えた記憶を回復するために催眠状態に置かれたアブダクティーの中には、前世の記憶を取り戻す人々がたまにいる。そして前世でも、また前々世でもアブダクトされ、イーブンズと接触した記憶を語る人々もいる。

シャーマンは、イーブンズは魂と容器（身体）を作った上位存在のことを語っているが、悪魔のような暗い存在のことも語っているという。

イーブンズはそれが何ものであるのか説明はしていないが、彼らはそれを心底恐れていた。宇宙に関する途方もない知識とテクノロジーを有し、現代人類まで創造したイーブンズでさえ恐れる存在であるなら、よほどの力を持った存在なのだろう。

一方、イーブンズは裏宇宙や別の次元の存在に関しては、特に言及していなかった。ハウは、なぜイーブンズが地球にやってくるのか、その目的をシャーマンに聞いた。すると彼は、「ＭＪ12の長老格のメンバーは、おそらくその答えは知りたくないだろう」と答えた。

彼女は、イーブンズが我々の魂のリサイクルに関心を示しているところを見ると、イーブンズは自分たちと人類とのハイブリッド（交雑種）を創ることが目的ではないかと感じた。また、このハイブリッドはイーブンズの種族としての生存（サバイバル）に関係しているのではないかとも思った。

シャーマンによると、現在の地球でＤＮＡの操作と実験を行なっているのはイーブンズだけではない。すでに複数の種族が地球に来ており、彼らもＤＮＡの操作を行なっている。グレイもそうした種族の一つであり、一時期、彼らはイーブンズと敵対関係にあった。

また、「ブロンズ」と呼ばれるヒューマノイド型の異星人とイーブンズは、約六〇〇〇年前に戦っている。この戦いが地球で行なわれたのか、それともイーブンズの惑星で行なわれたのかは判らない。その後、こうした敵対関係は一段落し、現在ではそれぞれの種族が互いに干渉することなく、独自のアジェンダに従ったDNA操作のプログラムを実施している。

DNA操作などのプログラムを実行しているのは、それぞれの種族が造ったアンドロイドだ。アンドロイドはその創造者と同じような脳を持ち、中には創造者の知性を超えるものもいる。アンドロイドにはあらゆる形態があり、昆虫型もあれば、グレイのようなタイプもある。すなわちアンドロイドには統一した形態が存在しない。

●政府が必死で続ける徹底隠蔽

イーブンズ、グレイ、ブロンズなどの異なったエイリアンの種族は、敵対関係に陥ることもあるが、そのとき彼らは時間の操作とマインドコントロールで戦うようだ。これは我々の想像を完全に超えている。

また、ハウが空軍基地でMJ12の高官と話したとき、「我々は、地球出身ではない人間がどれだけ人類の中にいるのかを最も気にしている」と告げられたという。

それはDNAの検査をすれば比較的簡単に発見できるのだが、そうした人間は自分が地球外出身だということにまったく気づいていないし、知りたいとも思っていないことが多い。

一方、アメリカ政府は地球外生物についてはあらゆる知識を持っており、彼らと共同して同じプロジェクトを運営することがあるにも拘らず、こうしたことを一般大衆に知らせることは絶対にない。永遠に秘密にするつもりなのである。

オバマ前大統領は自分の任期が終わる際に、これまで秘密にされてきた地球外生物に関する情報を公表すると決意していたようだが、当局は公表の条件として、政府が関与している証拠は一切残さないようにと念を押した。それは事実上不可能なので、諦めたという経緯がある。

以上がリンダ・モートン・ハウの二時間に及ぶ講演の要約である。

ハウのこれまでの長い調査経験が総合的に網羅されているため、内容が入り組んで複雑になっており、しかも驚愕すべき情報を含んでいるが、ハウの講演はいたって真剣であった。

ミレニアル世代に属する比較的若いQアノンのフォロワーたちは、こうした隠された宇宙レベルのアジェンダの存在に気づくことが「大覚醒」であると信じているのである。

第六章◉「影の支配者ディープステート」の素顔を追うQアノン

全米著名人が信奉する「ディープステート」情報

Qアノン支持者たちが信奉する陰謀論は、決して目新しいものではない。サタニスト（悪魔崇拝者）である「イルミナティ」が「ニュー・ワールド・オーダー（新世界秩序）」の構築に向けて第三次世界大戦を引き起こし、世界の人口を五億人まで削減する秘密計画が進行しているとするシナリオは、長い間、欧米のアングラ系文化で共有されてきた。

「人口削減計画」は近年加わった比較的新しい要素であるものの、世界を実質的に支配しているのはイルミナティだとする考えは、一八世紀から既に存在していた。そしてそうした思想に基づき、一九世紀のアメリカでは「反フリーメイソン運動」や「反ユダヤ主義運動」などが起こっている。

Qアノン支持者の思想もそうした伝統的な陰謀論の系譜を受け継いでいて、その意味では新しさはない。Qアノン現象の新しさとは、ＣＩＡやＦＢＩなどの情報機関が政府のコントロールの利かない機関として存在しており、それらは「ディープステート」と総称され、ニュー・ワールド・オーダー実現への手先として暗躍しているとする世界観にある。

この世界観を信奉する者たちには、トランプ大統領をはじめ、アメリカの著名なニュースキャスターやハリウッド俳優など有名人も多く、Qアノンの支持層を拡大させている。

ちなみに、ディープステートに関するQアノンの投稿は膨大にあるが、次のような投稿がその典型である。


【二〇一八年五月一五日：Qアノン投稿】

「大統領を信頼するか？

大統領は勇気ある我々の法執行官の命を救うために、セッションズ司法長官を信頼しているか？

我々の国？

和解せよ
もし、ディープステートだったら、セッションズは司法長官でいられるか？

批判的思考は、ネットユーザーの興味を引くフィクションをはねつける　Q」


相変わらず、Qアノンの投稿はきちんと分析しないと意味が解りにくい。次のような投稿もそうだ。

【二〇一八年一〇月五日：Qアノン投稿】
「直接のリンク：77

（例）
クリントン財団
選挙の敗北以後
一時解雇
アクセスなし／コントロール＝献金なし
今日
ニュージーランド献金　再スタート
他は？
なぜ？
1　秘密を売る？
2　未来のアクセスを売る（コントロールを再度得る／権力）」
沈黙を売る？
以下をゆっくりと注意深く読みなさい
ファイブアイズ
なぜ、かつての政府高官は国家機密のアクセス権限をいまだに持っているのか？
合衆国から合衆国へ＝記録される／通知される／録音される
ニュージーランドから合衆国＝記録されない／通知されない／録音されない＝合衆国

権限を見よ　ファイブアイズが見る権限＋文書を取る
上をゆっくりと注意深く読みなさい
なぜ、かつての政府高官の国家機密へのアクセス権限を我々は許しているのか？
ディープステートにようこそ
未来が過去を証明する　Q」

これはおそらく、クリントン財団を主宰するかつての政府高官であるクリントン夫妻は、いまだに国家機密へのアクセス権限を有していて、アメリカの監視が行き届かない「ファイブアイズ」のメンバーであるニュージーランドに賄賂を渡し、機密を入手しているという意味であろう。

ちなみにファイブアイズとは、アメリカ、イギリス、カナダ、ニュージーランド、オーストラリアなどのアングロサクソン系の国々の情報機関が、高度な機密情報を共有するための機構である。

この機構に属しているニュージーランドを経由して、クリントンはアメリカの国家機密情報をいまだに得ていると、Qアノンは言いたいようだ。そして、それを可能にしているのがディープステートの協力だということだろう。

●グローバル支配勢力は「ロスチャイルド家」「サウド王家」「ソロス家」

このような投稿を通して、Qアノンはディープステートの陰謀を暴こうとしている。

他方、Qアノンの投稿には「イルミナティ」や「フリーメイソン」といった一般の陰謀論では馴染(なじ)みのある闇の勢力の名は出てこない。しかし、彼らの目標とされている「ニュー・ワールド・オーダー」に関する投稿は、数は多くはないものの幾つかある。

【二〇一七年一一月一一日：Qアノン投稿】

「（何世代にもわたる）富は権力を買える

もっと大きな富／コントロールは国家と国民を買う（何世代にもわたる）権力は、さらに大きな富／コントロールを買う

家族の結合（3つ）＝ニュー・ワールド・オーダー

三つの家族の内部は崩壊する

肝心な部分はなんだ？

他を支配しているのはどんな国家か？

どの国が他のほとんどの国に影響力があるのか？

肝心な部分は何か？

サウジアラビアに戻れ
紐は切られた（＋＋＋）
操り人形（＋＋＋）は影の中にいる
三角形のそれぞれの側は、陰の実力者の区分をコントロールしている
陰の実力者は操り人形／召し使いとラベルが張られている
ニュー・ワールド・オーダーとは何か？
大統領がサウジアラビアを訪問したとき、なぜ剣のダンスで歓迎されたのか？
文化的にこれは何を意味するのか？
なぜ、これが関係があるのか？
サウジアラビアで何が起こったのか？
大統領はどうやってピラミッドの一つの側面を排除したのか？
大統領は訪中したとき、何を得たのか？
大統領はどこで晩餐会に出たのか？
なぜ、これが重要なのか？
ニュー・ワールド・オーダーを排除するために、大統領が中国やロシア、そして他の国と協力していたらどうだろうか？
誰が北朝鮮をコントロールしているのか？

誰が本当に北朝鮮をコントロールしているのか？
誰がアメリカとＥＵ、そして他の国の機関をコントロールしているのか？
なぜ、国家安全保障局は重要なのか？
大規模な出来事が起こっている
なぜ、ロシアはＩＳを殺すのを手伝っているのか？
これは、信じることも受け入れることも簡単ではない
パン屑はパンを作る
作戦はアクティブだ
共同作戦を準備している
世界は反撃している
画像に戻れ
偉大な覚醒
白雪姫
アイアン・イーグル
ジェイソン・ボーン（二〇一六）（夢／ＣＩＡ）　Ｑ」

これはＱアノンの初期の投稿だが、他の投稿を一緒に参照すると、「ニュー・ワールド・

オーダー」の実現を計画しているグローバルな支配勢力とは、「ロスチャイルド家」、「サウド王家」、そして「ソロス家」の三つの一族だということになる。

Qアノンのその他の膨大な投稿では、これら三つの一族は世界支配のピラミッドを構成するとし、それぞれをピラミッドの三角形の一辺に喩えている。

そして、彼らのニュー・ワールド・オーダーの計画を暴き、アメリカを国民の手に取り戻すために対抗しているのが、トランプ大統領だとされている。

しかし、これら三つの一族のさらに上に君臨しているというイメージが強いイルミナティやフリーメイソンといった秘密結社の名は、Qアノンの投稿には登場しない。

果たして、実際にそのような組織が存在しているのだろうか？　また、世界を支配しているグローバルエリートが存在するとすれば、それはどのようなものなのか？

新しい世界覇権を標榜するグローバルエリート

グローバルエリートは、英語ではグローバリストと呼ばれており、中国を新たな世界覇権国としたニュー・ワールド・オーダーの構築を目標にしているとされている。

こうしたグローバリストの最も有力なメンバーはロスチャイルド家であり、世界の金融資本と原子力産業を支配し、かたや石油産業を支配するロックフェラー家と鋭く対立しているとされている。

Qアノンの投稿によれば、すでにロックフェラー家は排除され、現在ではロスチャイルド家、サウド王家、そしてソロス家の支配になっているとされる。

そして一般の陰謀論では、さらにその上位の集団にフリーメイソンやイルミナティなどの秘密結社が存在し、特にイルミナティはサタニストと称する悪魔崇拝の教団によって支配されており、彼らは定期的にカリフォルニア州にある「ボヘミアン・グローブ」に集まっては、少年を生贄に捧げ、悪魔崇拝の儀式を開催しているとされる。

簡単に言えば、以上のような情報がネットではまことしやかに流され、一つのジャンルを形成している。しかしながら、一般には真剣に扱われることはなく、「陰謀系」という一種のオタク的文化の産物と見られている。主要メディアでは「Qアノン」はそうしたものの最新版・現代版とされているようだ。

実際に存在する権力集団「スーパークラス(超階級)」

Qアノンも含め、陰謀論の世界で言われていることは、どの程度の信憑性があるのだろうか?

少し調べれば、グローバルエリートに近い集団が実際に存在していることは十分に実証可能だ。例えば、『*Superclass:The Global Power Elite and the World They Are Making*』(邦訳『超・階級　スーパークラス』光文社)という書籍がある。著者は、ヘンリー・キッシンジャーが設立

"Fascinating . . . A field guide to the world's most elite citizens." —*Time*

DAVID ROTHKOPF

WITH A NEW PREFACE ON THE 2008 FINANCIAL CRISIS

SUPERCLASS

THE GLOBAL POWER ELITE AND THE WORLD THEY ARE MAKING

キッシンジャー・アソシエーツのCEOだった
デヴィッド・ロスコフと著書『*Superclass*』

した著名なシンクタンク「キッシンジャー・アソシエーツ」のＣＥＯだったデヴィッド・ロスコフだ。いわば、グローバルエリートのインサイダーが書いた本である。

この本によれば、政治的・経済的な世界規模の動きに影響を与え、実際に操作することが出来る力を持っている個人は約六〇〇〇名おり、それぞれが分野別に分かれた集団のネットワークに参加している事実を、本人たちへのインタビューを通して詳しく暴き出している。

これらの個人は、巨大多国籍企業や国際金融資本のＣＥＯや大株主、軍や政府機関のトップなどの人々であった。彼らの多くは、ハーバード、スタンフォード、オックスフォードなど、世界のトップ二〇の大学にある特定のゼミの出身者で占められた、いわば〝同窓会〟の集団である。

彼らはそれぞれの分野で学閥を形成しており、グループ内で頻繁に情報交換を行ない、それに基づいて世界の政治・経済に大きな影響を与える決定を下していた。

こうしたグローバルエリートと呼ぶしかないような権力集団は、確かにこの世に存在しているようである。しかし、それは同窓会的な非公式のネットワークでしかなく、世界の政治・経済を背後で計画し、操作するような組織や機関が存在する確たる証拠はない。

『*Superclass*』の著者の取材では、「ビルダーバーグ会議」のように、陰謀論では世界政治を陰で操る組織として話題になっている集団自体は実在するものの、例えばビルダーバーグ会議は引退した巨大多国籍企業の元ＣＥＯの親睦会であり、実質的にそれほどの力がないとされている。

◉――スイス連邦工科大学が調査・分析した「世界トップ法人」

二〇一一年、グローバルエリートの実態をさらに突っ込んで調査したのが、スイス連邦工科大学だ。

同大学が世界有数の企業四万三〇〇〇社の支配と所有の関係を数理的に解析したところ、これらの企業の所有権が僅か一四七社の企業に集中している事実が明らかになった。そして、この一四七社の企業群を財務面から実質的に支配しているのは、実に数社の金融機関だったのである。この金融機関の集合体こそ、まさに「グローバルエリート」という言葉が当てはまる。

この研究は物理学の学術誌『プロスワン（PLOS ONE）』に「グローバル企業コントロールのネットワーク」という題名の論文で発表された。

以下は一四七社のうち、トップ四九社のリストである（註：『NewScientist』二〇一一年一〇月一九日付より。出典元の資料は四九社を掲載）。

❶バークレイズ（Barclays plc）英国ロンドンに本拠を置く国際金融グループ。
❷キャピタル・グループ（Capital Group Companies Inc）米国の資産運用会社。
❸フィデリティ・インベストメンツ（Fidelity Investments Inc）米国ボストンの投資信託の販

売・運用会社。二五〇〇万人の投資家との取引がある。
❹アクサ（AXA）フランスの保険・金融グループ。
❺ステイト・ストリート・コーポレーション（State Street Corporation）米国ボストンに本拠を置く総合金融グループ。
❻ＪＰモルガン・チェース（JP Morgan Chase & Co）米国ニューヨーク州に本社を置く銀行持株会社。
❼リーガル・アンド・ジェネラル（Legal & General Group plc）英国ロンドンに本社を置く生命保険・資産運用・年金・再保険などを扱う金融サービス企業。
❽バンガード・グループ（Vanguard Group Inc）米国ペンシルベニア州に本社を置く世界最大規模の資産運用会社。
❾ユービーエスＡＧ（UBS AG）スイス最大の銀行であり、世界有数の金融持株会社。
❿メリルリンチ（Merrill Lynch & Co Inc）元は米国の三大投資銀行の一つ。バンク・オブ・アメリカが救済買収。
⓫ウエリントン・マネージメント（Wellington Management Co LLP）米国の投資運用会社。

⓬ドイツ銀行（Deutsche Bank AG）独フランクフルト・アム・マインのメガバンク。

⓭フランクリン・テンプルトン・インベストメンツ（Franklin Resources Inc）米国の持株会社。

⓮クレディ・スイス（Credit Suisse Group）スイスのチューリッヒに本社を置くユニバーサル・

バンク、世界最大規模の金融コングロマリット。

⓯ウォルトン・エンタープライズ（Walton Enterprises LLC）ウォルトン家が保有するウォルマート株を管理するためだけの会社。

⓰バンク・オブ・ニューヨーク・メロン（Bank of New York Mellon Corp）メロン財閥の中核事業として投資信託を主力とする金融機関。

⓱ナティクシス（Natixis）フランスの金融グループＢＰＣＥ傘下の投資銀行グループ。

⓲ゴールドマン・サックス（Goldman Sachs Group Inc）米国の金融系企業グループ。

⓳ティー・ロウ・プライス・グループ（T Rowe Price Group Inc）米国の資産運用会社。

⓴レッグ・メイソン（Legg Mason Inc）米国の大手資産運用持株会社。

㉑モルガン・スタンレー（Morgan Stanley）米国ニューヨークに本拠を置く世界的な金融機関グループ。

㉒三菱ＵＦＪ（Mitsubishi UFJ Financial Group Inc）銀行、信託銀行、証券、カード事業などを中核とした日本の総合金融グループ。

㉓ノーザン・トラスト（Northern Trust Corporation）米国イリノイ州シカゴに本社を置く、企業、機関投資家、超富裕層向けの金融サービス会社。

㉔ソシエテ・ジェネラル（Societe Generale）フランス有数のメガバンク。

㉕バンク・オブ・アメリカ（Bank of America Corporation）米国ノースカロライナ州に本拠を置

くメガバンク。

㉖ロイズ・バンキング・グループ（Lloyds TSB Group plc）英国の銀行・保険グループ会社。

㉗インベスコ（Invesco plc）米国ジョージア州アトランタを本拠とする独立系資産運用会社。

㉘アリアンツ（Allianz SE TIAA）資産運用会社などを傘下に持つドイツの金融グループ。

㉙オールド・ミューチュアル（Old Mutual Public Limited Company）南アフリカ・ヨハネスブルグに本拠を置く総合金融機関。

㉚アビバ（Aviva plc）英国ロンドンに本社を置く保険会社。

㉛シュローダー（Schroders plc）資産管理・運用を専門とする英国の多国籍企業。

㉜ドッチ・アンド・コックス（Dodge ＆ Cox）プロの投資管理サービスを提供する米国の投資信託会社。

㉝リーマン・ブラザーズ（Lehman Brothers Holdings Inc）米国ニューヨークに本社を置く大手投資銀行グループ。

㉞サン・ライフ・ファイナンシャル（Sun Life Financial Inc）カナダの保険持株会社。

㉟スタンダード・ライフ（Standard Life plc）資産運用を中心に生命保険や年金・貯蓄などを扱う米国の金融サービス企業。

㊱コンサート・ファーマシューティカルズ（CNCE）米国のバイオ医薬品企業。臨床段階の低分子薬の開発に従事。

㊲野村ホールディングス（Nomura Holdings Inc）東京に本社を置くアジア最大かつ世界的影響力を持つ投資銀行・証券持株会社。

㊳デポジットリー・トラスト・カンパニー（The Depository Trust Company）米国の証券預託機関。ニューヨーク証券取引所の子会社として設立。

㊴マサチューセッツ・ミューチュアル・ライフ・インシュアランス（Massachusetts Mutual Life Insurance）米国マサチューセッツ州スプリングフィールド本拠の大手生命保険相互会社。

㊵ＩＮＧグループ（ING Groep NV）世界五〇カ国以上で銀行業務などを展開する総合金融機関。本社はオランダのアムステルダム。

㊶ブランデス・インベストメント・パートナーズ・エル・ピー（Brandes Investment Partners LP）国際分散投資を手掛ける米国の投資顧問会社。

㊷ウニクレディト（Unicredito Italiano SPA）イタリア・ミラノ本拠のカトリック系メガバンク。

㊸預金保険機構（ＤＩＣ。Deposit Insurance Corporation of Japan）預金保険法に基づき、預金保険を提供する日本の認可法人。

㊹エイゴン（Vereniging Aegon）オランダ・ハーグに本社を置く保険会社。

㊺ＢＮＰパリバ（BNP Paribas）欧州のメガバンク。フランスのパリ国立銀行（ＢＮＰ）とパリバ銀行が合併して設立。

㊻アフィリエーテッド・マネジャーズ・グループ（Affiliated Managers Group Inc）投資管理

会社に株式投資する資産管理会社。米国フロリダ州パームビーチ本拠。

㊼りそなホールディングス（Resona Holdings Inc）りそな銀行、関西みらいフィナンシャルグループ等を傘下に置く日本の金融持株会社。

㊽キャピタル・グループ・インターナショナル（Capital Group International Inc）米国ロサンゼルス拠点の世界有数の資産運用会社。

㊾中国石油化工集団公司（China Petrochemical Group Company）欧米石油メジャーに対抗するために設立された中国国営の石油会社。略称「シノペック」。


ほとんど欧米系の巨大資本だが、「野村ホールディングス」、「三菱ＵＦＪ」、「預金保険機構」、「りそなホールディングス」などの日本企業・特殊法人が入っているのが印象的である。

スイス工科大学の分析は、世界経済で巨大な影響力を有するトップ企業群の支配と所有の関係を明らかにすることが目的なので、企業のＣＥＯやオーナーが持つ相互の人的ネットワークについては分析の対象となっていない。

しかし、これらトップ企業の最高経営者が、『*Superclass*』で明らかになったように、産業分野別のグループに分かれたネットワークを形成し、頻繁に情報交換している可能性は十分にある。

そして、そうした企業群のネットワークの上位に位置し、さらに企業群を支配するのが、ひと握りの金融機関の集合体ということだろう。

●世界銀行を追われたカレン・ヒューデス女史の内部告発

実際にその実態を明らかにしたのが、「世界銀行」法務部門の首席弁護士であったカレン・ヒューデスである。

ヒューデスはイェール大学法学部の出身で、後にアムステルダム大学経済学部も卒業している。一九八〇年から一九八五年までアメリカ輸出入銀行に勤務し、一九八六年から二〇〇七年までは世界銀行の法務部に所属していた。その後、多国間のNGO法人・国際法律協会を設立し、現在に至っている。

ヒューデスは「バーゼル規制」を通して世界の銀行のグローバルスタンダードを決定する「国際決済銀行（BIS）」こそ、グローバルエリートたちが世界経済を支配するために使嗾する機関であり、牙城であるとしている。ヒューデスによると、国際決済銀行は完全に彼らの支配下にあり、私物化されているという。

この告発後、ヒューデスは世界銀行の職を解任された。現在は、グローバルエリートが主要メディアをも支配する状況を告発し、彼らの長期的な計画を暴露している。そして、こうしたエリート支配の状況を打破し、民主的なシステムを構築するための運動を展開している。

少し複雑になったので纏めてみよう。

現在の世界には、巨大多国籍企業や政府機関、また軍の組織のトップが分野別に分かれて構成する六〇〇〇人規模の同窓会的な非公式なネットワークが存在する。このネットワークは世界を動かす影響力を行使している。

さらにネットワークを構成している巨大企業は、ゴールドマン・サックス、モルガン・スタンレー、JPモルガンなど、ほんのひと握りの金融機関に財務的に支配されている。これらの金融機関は、「中央銀行の中央銀行」と呼ばれ、バーゼル規制を通して世界のあらゆる銀行のグローバルスタンダードを設定している国際決済銀行に結集し、世界経済システムを自分たちにとって最大に有利になるように運営している。

これが実証可能な範囲で見えてくる、現在の世界の基本的な支配構造である。とすれば、グローバルエリートとは、こうした一握りの金融機関のCEOの集合体ということになる。

さて、こうした事実は実証可能なので、いわゆる陰謀論とは一線を画している。

既に判るように、実証可能な情報には「イルミナティ」や「フリーメイソン」、「サタニスト」、「ボヘミアン・グローブ」というようなオカルト的な支配集団の名は全く出てこない。そういう意味では、こうしたオカルティックな集団こそ、陰謀論文化が創り上げてきた幻想と言えなくもない。事実、Qアノンの投稿にもそれらに関する情報はない。

しかし、必ずしもそうではないことが、「グチファー」のハンドルネームで知られる人物からのリークで明らかになりつつある。

カレン・ヒューデスと彼女のサイト

THE WORLD BANK
IBRD・IDA

WHO WE ARE　WHAT WE DO　WHERE WE WORK　UNDERSTANDING

Who We Are / ニュース

プレスリリース

世界銀行元職員カレン・ヒューデスに関する表明

2014年7月8日

このページの言語：English | Español | Français | العربية | Русский | 中文 | 日本語

カレン・ヒューデスという人物が、世界銀行の名で書状を発行したり、会合を手配しています。世界銀行の法務顧問代理を名乗る場合もあるようです。

カレン・ヒューデスは2007年に世界銀行を退職して以来、世界銀行グループとは無関係であり、世銀グループのいずれの機関を代表する立場にもありません。ヒューデス氏または同氏代理人による一切の主張は偽りであり、信頼すべきものではありません。

最新ニュース

プレスリリース
世界銀行グループ、
ウイルス感染症対
03/17/2020

特集
2020年 世界銀行グ
るジュニア・プロ
ミッドキャリア（M
03/11/2020

日本ではなぜか報道されない「グチファー」のリーク情報

二〇一六年、次期大統領最有力候補のヒラリー・クリントンが国務長官当時、公務の通信に私有のメールアドレスを使用していたことが大きな問題となった。これは第一章で述べたジョン・ポデスタのメールに絡む「ロシアゲート」とは別の話だ。

クリントンが国務長官だった当時は、公務の通信に私的なメールアドレスを使用することを禁ずる規定がなかったので法的問題は特にないものの、ハッキングされる危険性が大きいことは間違いないので、あまりに不用心ではないのかとして非難された。私的なメールアドレスの使用が問題となる背景には、過去にヒラリー・クリントンの私的なメールがハッキングされていた経緯があったからだ。

二〇一四年一月、マルセル・レーヘル・ラザーというルーマニア人が、ルーマニア警察に逮捕された。ラザーは当時四二歳、失業中の元タクシー運転手であった。

ラザーは二〇一一年からの三年間、ルーマニアの著名な政治家のほか、ヒラリー・クリントン元国務長官、ビル・クリントン元大統領、ジョージ・W・ブッシュ元大統領、コリン・パウエル元統合参謀本部議長など、実に多くのアメリカ政界の有力者の私的なメールを悉く(ことごと)ハッキングしていた。

メールのハッキングと聞くと、極めて高度なハッキング技術を駆使していたと思うかもしれないが、ラザーの手法はそうではなかった。

著名人はみな、Gメール、Ｙａｈｏｏメール、ＡＯＬメールなど、無料で使えるウェブメールのアカウントで私的なメールを交信していた。失業中で閑（ひま）のあったラザーは、こうした著名人のＩＤとパスワードの組み合わせを丹念に推測し、時間を掛けて正しい組み合わせを探り当てたのだ。この方法でアメリカ政界の有力者のメールを全てコピーし、そのうちの幾つかを「グチファー」というハンドルネームでネット上に公開したのである。

公開されたメールの内容は、ブッシュ元大統領の描いた稚拙な絵画の写真や、コリン・パウエルとルーマニアの女性政治家とのロマンスなど、比較的他愛のないものだった。だが、「グチファー」という何者かによって大物政治家のメールがハッキングされていた事実は、ラザーの逮捕と同時に全米の主要メディアで詳しく報じられた。

しかし日本では主要メディアのみならず、陰謀系サイトやブログ、ツイッターなどのＳＮＳでも取り上げられた形跡はほとんどない。海外でこれほど大きなニュースになったものが、日本でまるで話題にもならなかったのは実に不思議である。

陰謀論者が注視する「ボヘミアン・グローブ」の実在証明

ハッキングされたメールの中には、二〇一三年にリビアのアメリカ領事館が襲撃された事件や、アルジェリアの天然ガス関連施設が襲撃された事件に関する極秘の通信メールなど、極めて重要な内容のメールも含まれていた。

中でも最も驚くべきは、イルミナティやサタニストの集まりとされるボヘミアン・グローブの実在を示す内容のメールが多数、存在したことだ。

例えば、巨大メディアグループの幹部であり、ロスチャイルド系の金融機関に長らく勤務していたアンドリュー・ナイトという人物が、コリン・パウエル元統合参謀本部議長に宛てたメールがある。それはナイトがパウエルに、元イギリス首相のトニー・ブレアをボヘミアン・グローブの正式メンバーに推薦するよう要請したメールであった。

このメールは、ボヘミアン・グローブが空想の世界の話ではなく、実在している組織であることを示している。

そしてレザーは、ニューヨーク・タイムズのインタビューで次のように語っている。

「この世界は、イルミナティと呼ばれる超富裕な家族、銀行家、産業資本家が構成する陰謀的な集団によって支配されている。彼らは一九世紀や二〇世紀から存在している」

さらにレザーは二〇〇一年の911、一九九七年のダイアナ妃の死亡、そして二〇一五年に計画されていたシカゴとフィラデルフィアでの自作自演の核テロについても証言している。レザーはこれらの情報が含まれたアメリカの著名人のメールを多数保管しており、自分の身が危

Guccifer, Hacker Who Says He Breached Clinton Server, Pleads Guilty

Romanian hacker Marcel Lehel Lazar, also known as Guccifer, claims he got into Hillary Clinton's private email server. NBC News

May 26, 2016, 12:24 AM JST / Updated May 26, 2016, 12:24 AM JST

By Pete Williams

A Romanian man who claims he broke into Hillary Clinton's private e-mail server – and did manage to hack into computer accounts of prominent world figures – pleaded guilty Wednesday in a U.S. courtroom.

Marcel Lehel Lazar entered guilty pleas to charges of identity theft and unauthorized access to protected computers before a federal judge in Alexandria, Virginia.

有名人のメールをハッキングした「グチファー」

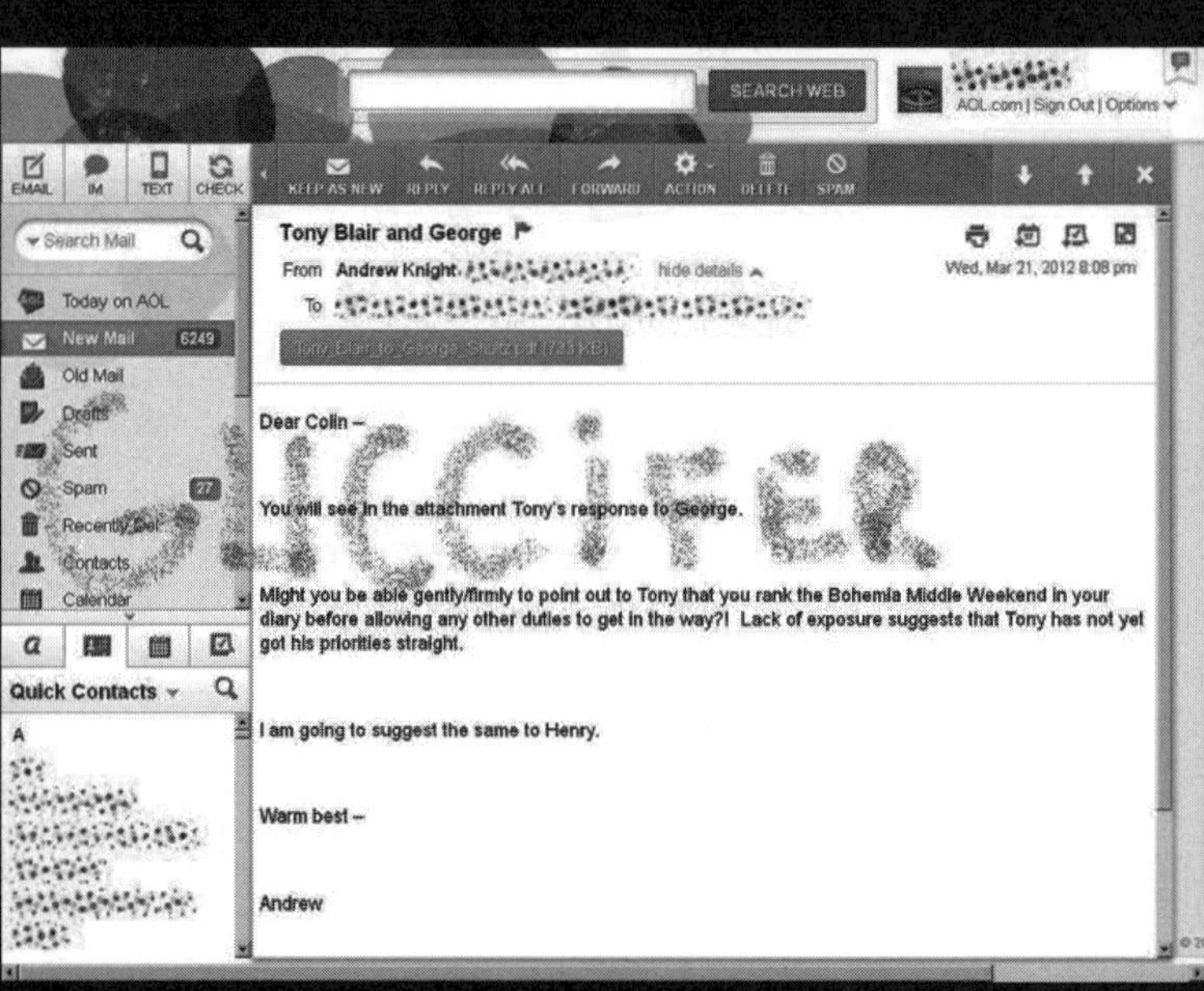

Tony Blair and George

From Andrew Knight

Wed, Mar 21, 2012 8:08 pm

Dear Colin –

You will see in the attachment Tony's response to George.

Might you be able gently/firmly to point out to Tony that you rank the Bohemia Middle Weekend in your diary before allowing any other duties to get in the way?! Lack of exposure suggests that Tony has not yet got his priorities straight.

I am going to suggest the same to Henry.

Warm best –

Andrew

コリン・パウエルにブレア元イギリス首相を
ボヘミアン・グローブのメンバーにするように依頼したメール

元イギリス首相トニー・ブレア

険になったときの取引材料として使うとしている。

ニューヨーク・タイムズ紙の記事では、こうしたレザーの証言に対し、「ＮＳＡ（アメリカ国家安全保障局）の極秘情報をリークしたエドワード・スノーデンのように有名になりたいので、大げさな情報をでっちあげたのだろう」と一蹴し、まともに扱っていない。

主要メディアで報じられたのはニューヨーク・タイムズのこの記事だけである。一般に広く知られていることではあるが、イルミナティなど陰謀に関する多くの情報は、まともなニュースとしては取り上げられないのだ。

一方、レザーは、「criptome.com（クリプトン）」というウィキリークスやスノーデンのリーク情報を専門的に掲載するサイトで、いまだメディアでは報道されていない情報を順次公開している。

ところで、資本主義世界を支配するグローバルエリートに関しては、戦前のナチス・ドイツが綿密な調査を行なっていたことが知られている。

ナチス・ドイツには、親衛隊長官ハインリッヒ・ヒムラーが創設した公的な調査機関「アーネンエルベ」（「祖先の遺産」の意）があり、資本主義世界を支配している集団を調査した膨大な記録は現在でもドイツ国内に保管されているとされる。

また、旧ソビエト連邦も国家の調査プロジェクトとして、グローバルエリートの実態を明らかにする調査を行なっていた。しかしソビエト連邦崩壊後、経済的困難に陥ったエリツィン政権は、蓄積してきた調査記録をロスチャイルド家に売却したことが、ロシアのメディアの報道で明らかになっている。

先述した世界銀行の元法務担当カレン・ヒューデスは、金融支配の頂点に位置するグループには次のような種族がいるとしている。それはロスチャイルド家のように、我々の想像の範囲内にあるような存在ではないとし、彼女は次のように証言する。


「私たちの地球の国家は一枚岩ではありません。この世界を支配しているネットワークの背後にあるグループのうちの一つはイエズス会であり、他にも幾つかのグループがあるのです。

それらの中の一つのグループは、ヒト科ではあるが、人類ではない者たちによるグループです。彼らは非常に頭が優秀ですが、創造的ではなく、数学的な思考をします。彼らは氷河期の初期に地球で強い力を有していました。彼らは長い頭蓋骨を持っています。彼らは人類の女性との交配で子孫を作ることが出来ますが、繁殖力は強くありません。

私たちは秘密にされている世界、秘密結社による世界に住んでいます。しかし、それは公にはなっていません」


当初はヒューデスの内部告発を称賛していた人々も、こうした信じがたい証言を聞くに及んで、次第に彼女の周囲から去っていってしまった。

実際、驚くべき証言ではあるが、果たしてこれは本当なのだろうか？

『ガイアTV』が公開したエイリアンのミイラ

アメリカの代表的なニューエイジ系放送局に『ガイアTV（GaiaTV）』があるが、現在、非常に興味深いプロジェクトが進行中だ。

メキシコの著名な調査ジャーナリストであるハイミー・ムッサンは、有名な地上絵があるペルーのナスカで奇妙なミイラが多数発見されたという情報を伝えてきた。そのミイラは長い頭蓋骨を持っており、長い指が三本あり、おおよそ人類には見えないという。

情報を得た『ガイアTV』は、生物学者や法医学者、放射線科医などの専門家を含むチームを急遽組織し、現地に向かった。

ミイラは、ナスカのある地域で地下に埋まった状態で見つかったものだ。一体ではなく複数体が発見された。身長は一六八センチ、耳はなく、代わりに小さな穴が開いている。保存のために全身が白い粉で覆われた状態だ。

炭素一四による年代測定では、紀元二四五年から四一〇年の間に埋められたものである可能性が高いことが判った。現在、DNAの調査が進められているが、人類ではない可能性もある。DNAの調査結果は番組内で公開される模様だ。『ガイアTV』の視聴は有料であり、登録しなければ観られないが、ダイジェスト版がユーチューブで公開されている。

いずれにせよ、ミイラの画像を観ると、カレン・ヒューデスが語っている「長い頭蓋骨を持ち、ヒト科ではあるが人類ではない者」という描写とよく似ている。彼らが現在の世界の金融支配の頂点に立っているのだろうか？　読者の判断に委(まか)せたい。

エイリアン情報を熱望するカナダからのメール

本章の最後に、Qアノンがペドフィリアへの注意を喚起したジョン・ポデスタのメールにも、実はエイリアンの存在に言及しているものがあったことを紹介しておく。二〇一六年、ウィキリークスがリークしたメールに含まれていたものだ。以下である。

「From:kennycoffin@gmail.com
To: podesta@law.georgetown.edu
Date: 2015-11-14 04:20
Subject: American Best Interest

ポデスタ氏へ。

私はケン・コフィンといいます。私はカナダ・アルバータ州エドモントン在住のカナダ国民です。

アメリカのよき隣人、同盟国として、私はＮＡＳＡが「カナダ宇宙局」になぜ、今、起

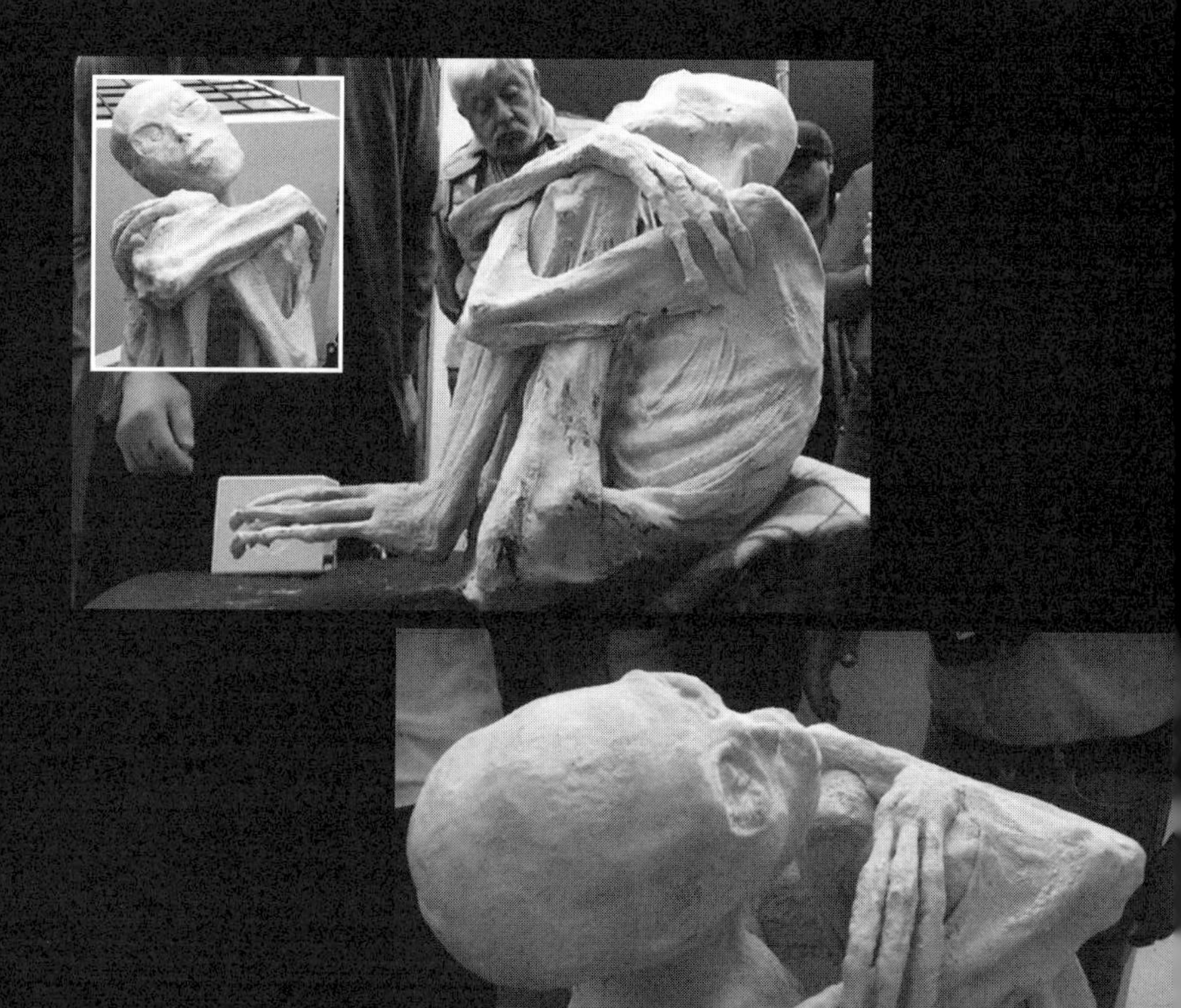

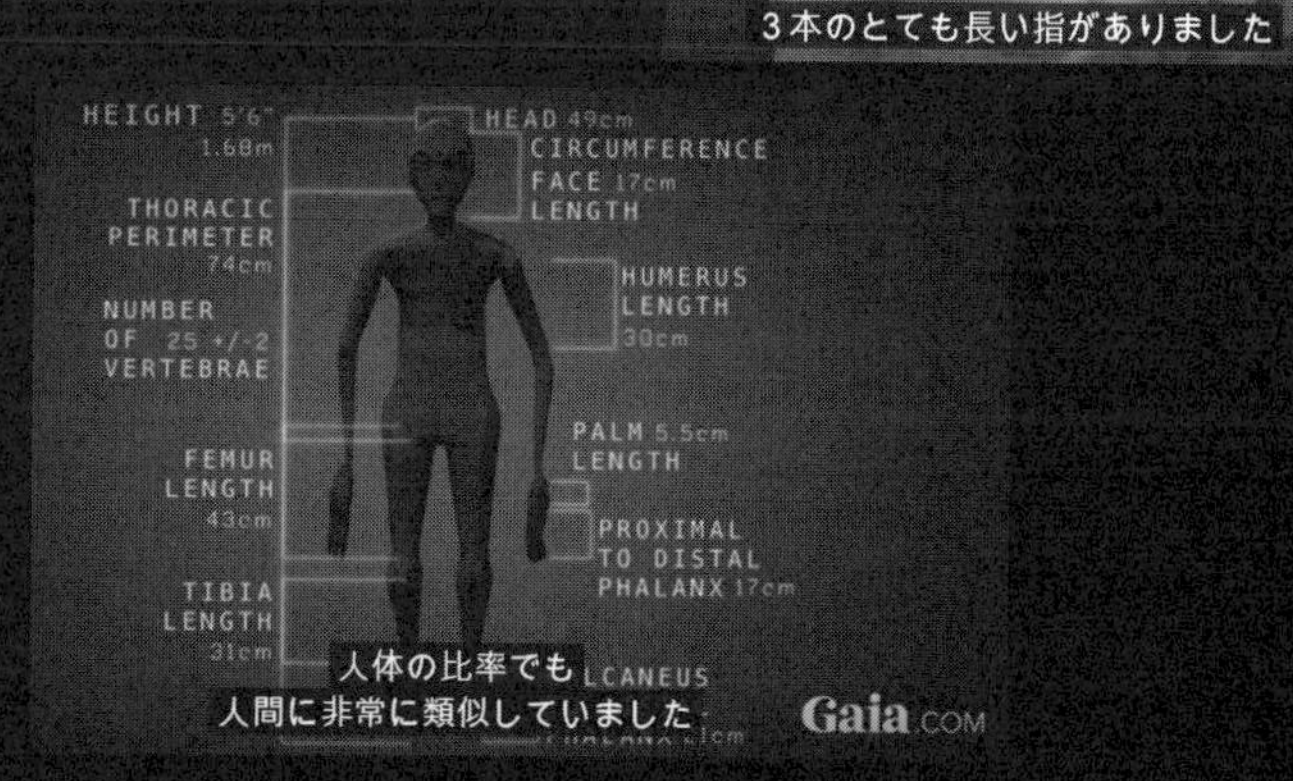

ナスカで発見された頭蓋骨と三本の指が長いミイラ
（https://www.youtube.com/watch?v=xZPDhPeQnRY）

こっている異常な事態に関する間違った、または誤った情報を提供しているのかに興味があります。

我々の情報は限られています。アメリカに素晴らしい新ツールを提供するという我々の目標の実現は、カナダとアメリカの合同プロジェクトに依存しています。

我々はなぜ、締め出され、排除されているのでしょうか？

私はカナダ国民として、また科学界の一員として、この問題を個人的な立場で訴えます。

我々が排除されたのなら、推進システムを改良することは出来ません。

もし、アメリカがカナダとの長期の友好関係の継続を望まず、自分の国益だけで動くのであれば、NAFTAのようなお遊びはすぐに終えることが出来ます。

我々は技術的にアメリカよりも進んでいます。我々はアメリカを必要としていません。

カナダの貢献なしには、アメリカはここまで成長することは出来なかったと私は思いますが、あなたも同意することでしょう。

カナダ人は、ハリウッド、ニューヨーク、フロリダ、そしてプロ野球のストライキによって、アメリカが我々から盗んだペナントのスタンレー・カップを当然の権利として所有しています。

我々の当然の権利として、アメリカのエイリアンのコンタクト、そしてアメリカがエイリアンとの間で結んだ全ての条約の公開を望みます。

我々の情報収集力は弱いかもしれません。しかし、人間は主人であるエイリアンの食料であり、労働力であり、資源であることを突き止めました。

我々の持っている情報は、そちらの国防総省の信頼できるソースから、オフレコでカジュアルな形でもたらされたものです。そちらが交渉のテーブルに着くのか、または前回のように我々が除外されてしまうのかを知りたいのです。

私はそちらの『DARPA（国防高等研究計画局）』のようなカナダの組織を代表していますが、この組織は存在しないことになっています。我々の組織は、政府と一緒にポジティブな成長を促進する事業を行なっています。

我々の関心は、人間のポジティブな成長に貢献することにあります。

我々は世界を平和的で幸福な、より良いものに出来ると思っています。しかし、もし大量絶滅がこれから起こるのであれば、この実現は不可能です。

我々の歴史的なデータやタイムラインは間違っています。アメリカは我々に情報を隠し、またウソをつくことで、我々を罠に嵌めようと画策しているのではないかと非常に嫌な感じがしています。

もし可能ならば、ぜひあなたたちと同様に我々も助けてください。感謝いたします。

我々は、どんな存在を対象にしているのか知りたいだけなのです。彼らの目的はなんでしょうか？　彼らは敵対的なのでしょうか？　どんな交渉が成立したのでしょうか？

もし、アメリカがカナダの信頼を裏切ったり、カナダを犠牲にして進むのであれば、我々はアフガンのような状況に再度、耐えることは出来なくなるでしょう。一〇年間の努力が無駄になってしまいました。

我々はアメリカに試合で勝利させる必要もないし、アメリカのエゴを満足させるために、カナダの通貨価値を人為的に低く抑える必要もありません。

我々はエイリアンの訪問者や、着陸した火星人と独自に交渉することが出来ます。

しかし、アメリカが我々に情報のアクセスを許し、完全なブリーフィングを行なわない限り、彼らとは交渉しません。

私のアドバイスは、我々を交渉のテーブルに着かせるということです。我々が元から有している情報は古いので、もっと新しい情報が必要です。

我々がUFOの捕獲に失敗したとき、我々がいかに弱いのか分かりました。我々が何ものを対象にしているのか知らなかったからです。我々はもっと多くのデータが必要です。

さらに、地球の磁北極は赤道へと移動しています。我々には助けが必要です。もし、我々を助けてくれる同盟者がいるのであれば歓迎します。そうでないと、あと二〇年と少しで我々人類は死滅してしまうでしょう。

今、磁北極はシベリアにあります。一〇年後には黒海まで南下するでしょう。そして二〇年後には、インドネシアまで移動します。

もし、アメリカが彼らとの交渉を成立させているなら、彼らに援助を頼むよい時期だと思います！」

以上が、エイリアンへの言及を含むジョン・ポデスタのメールのリークだ。

ちなみに、送信者の「ケン・コフィン」という人物を検索してみたが、同姓同名のカナダ人は数人存在するものの、科学者や公的な役職に就いている人物はいなかった。当然だろうが、これは偽名であろう。

そして、ジョン・ポデスタがこのメールを削除しなかったということは、彼がメールを重要視していたことにほかならない。

これまで見てきたようなグローバリストのアジェンダとエイリアン、そしてジョン・ポデスタのメールが図らずも繋がったようだ。大変な真実が暴露されたとして、Qアノン支持者たちが「大覚醒」のもと、熱狂したことは言うまでもない。

次ページに資料として、Qアノンの熱烈な信奉者が作成した「大覚醒マップ」を掲載する。いわゆる陰謀論たちによって信じられてきた世界の真実と、Qアノンの一連の投稿の情報を綜合して作られている。

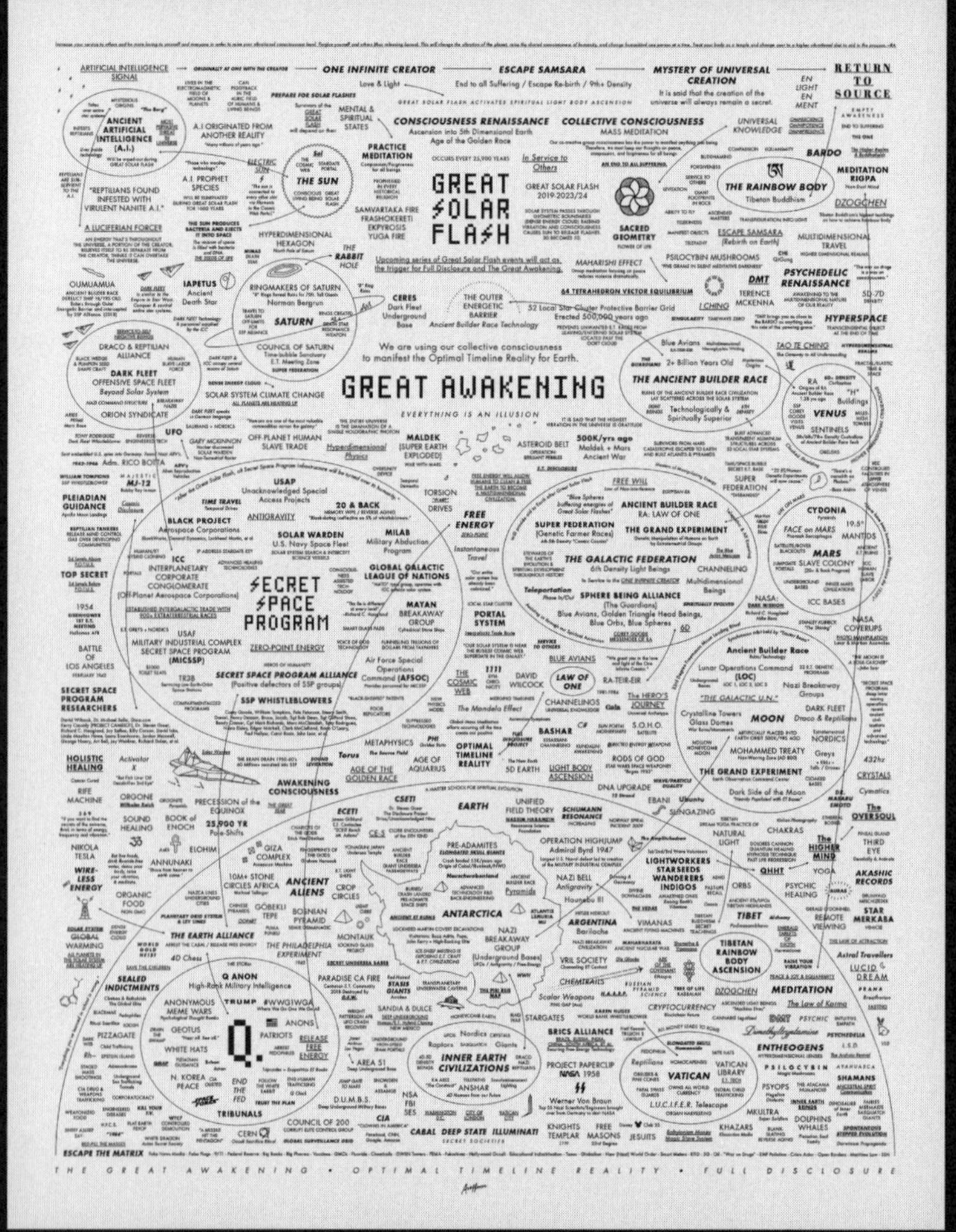

「大覚醒マップ」（https://www.greatawakeningmap.co/）

第七章◉Qアノンと「大覚醒」運動が描く未来図

「アメリカ第二革命」と政権内部の情報機関

これまで全米を席巻している「Qアノン現象」を見てきた。

つまり、現在のアメリカはロスチャイルド家やソロス家に代表される国際資本のグローバリストによって、クリントンの民主党と「ディープステート」という〝手先〟を使って支配されている。そうしたなか、グローバリストの策謀を告発し、アメリカを国民の手に取り戻すために「アメリカ第二革命」を主導しているのが、ほかならぬトランプ大統領であり、Qアノンはそのトランプ政権内部にいる情報機関のチームである、ということだ。

Qアノンは、トランプ大統領の推し進める「アメリカ第二革命」の進捗状況を知らせると同時に、支配エリートが行なっている残虐で理不尽な隠された振る舞いを暴露し続けている。その範囲は政治にとどまらず、「ペドフィリア」から「悪魔崇拝」、さらには「秘密宇宙プログラム」といった地球外知的生命体に関するものまで、壮大な領域に及んでいる。

トランプ大統領とQアノンが起こす革命では、クリントン一味とそれに連なるグローバリストたちは全員逮捕され、新しい公平な金融システムが構築されるとした「NESARA（ネサラ）」（国家経済安全保障改革法）」（アメリカ国内の金融リセット）や「GESARA（ゲサラ）（地球経済安全保障改革法）」（世界全体の金融リセット）という計画も進行している。

その後の人類は、秘密宇宙プログラムを支援している第六密度の地球外生物「ブルー・エイビアンズ」の後押しもあり、新たなる次元の世界へと「アセンション（次元上昇）」するというのだ。

「Qアノン現象」と「大覚醒」運動を端的に要約するとこのようになる。したがって、私たちはこれらの〝真実〟に気づき、隠されてきた世界の実相を認識し、覚醒していかなければならない。

しかし、果たしてこれは事実なのだろうか？　トランプ大統領とQアノンは、本当に「アメリカ第二革命」を主導しているのだろうか？

支配エリートたちの大量逮捕は進むのか？　「秘密宇宙プログラム」は実際に存在し、我々は真実に気づいて「アセンション」するのだろうか？

ファンタジーとリアルの狭間を彷徨う（さまよ）Qアノン

Qアノンが最初の投稿を行なった二〇一七年一〇月二八日以来、ヒラリー・クリントンをはじめとする支配エリートたちの大量逮捕や、アメリカを国民の手に取り戻す「アメリカ第二革命」はいまだに起こっていない。

また、Qアノンが発信する内容のほとんどは、実は既に以前からネットで流通していた陰謀論を集大成したものに過ぎないとの指摘もある。

実際、第三章で触れた「ピザゲート」は、ジョン・ポデスタなどが「ペドフィリア」のために小児を集めてピザレストラン「コメット・ピンポン」で監禁していたとされるが、後に根拠がなかったことが発表された。事の次第はこうだ。

二〇一六年一二月四日、エドガー・マディソン・ウェルチという男性がコメット・ピンポンに向かった。彼は二児の父親であり、敬虔なキリスト教徒だ。ハイチ地震のときにはボランティアの消防士として現地に救助活動に向かったという模範的な市民であり、ノースカロライナ州ソールスベリーで平穏な日常を送っていた。

しかしこの日、彼はAR‐15自動小銃と散弾銃、さらに三八口径のコルト・リボルバー拳銃で武装し、コメット・ピンポンに押し入ったのである。

コメット・ピンポンは注文したピザを待つ間、店内にある卓球台で親子がピンポンを楽しめる家庭的な店として地域で愛され、連日のように親子連れで賑わっていた。いつも子供が出入りし、またコメット・ピンポンの経営者（オーナー）が熱烈な民主党支持者でジョン・ポデスタの友人でもあったことから、この場所こそがペドフィリアのための小児の人身売買が行なわれている現場として疑われたのだ。

武装したウェルチが店に押し入ると店内は騒然となった。ウェルチは店の奥にある事務所に銃弾を数発撃ち込み、鍵を壊して中に入った。そこには地下室へと繋がる階段があり、地下室にはペドフィリア用に誘拐された子供たちが監禁されているはずだった。

しかし、コメット・ピンポンには地下に通じる階段はなく、地下室そのものが存在しなかった。ウェルチは自分が間違いを犯したことに気づき、観念して銃を置くと外で包囲していた警官隊に投降した。その後、裁判で実刑四年の判決を受けるが、審理では弁護士を通してウェルチの手書きの声明が読み上げられた。

「無実な人々を怖がらせたり、危害を加えることは私の意図するところではありません。私は自分の行ないがいかに馬鹿げており、無鉄砲なものであったのか気づきました」

二〇一六年のこの事件の顛末は、コメット・ピンポンを舞台とする「ピザゲート」が根拠のないファンタジーである可能性を示している。

しかし、Qアノンは何度も「ピザゲート」に言及し、クリントン一味らエリートたちの非人間性と野蛮性を暴き立てる材料にしている。そして今では、Qアノン信奉者の間ではピザゲートは既定事実と認定され、誰も疑う者はない。

現時点では、ピザゲートの例のように、エリートの大量逮捕にしろ、トランプの「アメリカ第二革命」にしろ、Qアノンの投稿に関しては一種のファンタジーとして捉えておいたほうがいいのかもしれない。

誘導すべきシナリオは「民主党は悪魔である」

ネットにはあらゆるタイプの陰謀論が溢れている。もちろん、そうしたものが全て事実であるはずもないが、中には事実を反映し、後に真実が証明されるものも多い。

確かにペドフィリア自体は行なわれているし、子供を誘拐するハイチの人身売買組織の存在や、ローマ・カトリック教会に蔓延する聖職者によるペドフィリア、ジェフリー・エプスタインなどのようにエリートの歪んだ性的嗜好を満たすための少女売春等々、様々な事件が実際に連続している。

さらに「ボヘミアン・グローブ」に代表されるように、「悪魔崇拝」としか形容しようがない儀式も一部の欧米のエリートたちの間では行なわれているようだ。それはロシアの報道機関が報じたイギリスの首相経験者のメールなどからも判る。それは非常に生々しいものだった。

二〇〇八年から二〇一二年にかけて、いわば〝陰謀論の総本山〟のような存在の『インフォウォーズ・ドットコム（Infowars.com）』の主宰者アレックス・ジョーンズは、米国家安全保障局（ＮＳＡ）がアメリカ市民の携帯電話を盗聴していると告発していた。

主要メディアはいつもの陰謀論として無視していたが、二〇一三年にＮＳＡの内部告発者エドワード・スノーデンの証言によって、盗聴が事実であったことが明らかになった。

また、トランプやビル・クリントンの友人でもあった大富豪の投資家ジェフリー・エプスタインは、カリブ海の孤島で少女買春を行なっており、彼を通じてワシントン政界に売春ネットワークが存在する可能性があることは既に述べたが、アレックス・ジョーンズなども以前から頻繁に告発していたのだ。

後に売春の当事者である少女の内部告発や、イギリスのアンドリュー王子が買春時に盗み撮られた写真が公開されるに及び、エリート層を巻き込んだ少女売春のネットワークが本当に存在する可能性があることが明らかになった。エプスタインは拘束先の刑務所で自殺したことになっているものの、半数以上のアメリカ国民が他殺を疑っている。アメリカ司法当局は、アンドリュー王子への尋問を開始する声明を発表した。

また、Ｑアノン信奉者が煽動する「大覚醒」運動の中核の一つ「秘密宇宙プログラム」関連の投稿なども、その全てがファンタジーというわけでもないだろう。『ディスクロージャー・プロジェクト』を主宰するスティーブン・グリア博士が明らかにしたように、アメリカ政府の隠された計画が存在している可能性は非常に高い。

これらはほんの一例だが、ネットで拡散されている陰謀論の中には、事実として判明するものはけっこう多い。むしろ現代世界は陰謀論を受け入れることなしに理解することは不可能だといっても過言ではない。

テロ組織「ＩＳ（イスラム国）」に資金提供しているサウジアラビアから、その事実を知りながら巨額の献金を受けていた「クリントン財団」の疑惑についても同じことがいえる。Ｑアノンは、両者の間に巣喰う〝闇〟に関心が向かうような投稿を頻繁に行なっており、その後、多くの調査ジャーナリストの取材によってそれが事実であることが確認されている。

ある意味、Ｑアノンは世間では〝陰謀論〟として限界（マージナル）ぎりぎりな領域の闇に投棄されたままでいる事実に着目し、それらを光の当たる表層へと引っ張り出す役割を担ったともいえる。

しかし、Qアノンの基本的な手法は、陰謀論として流通しているような信憑性の定かではない〝事実〟を取り上げ、それらが全てクリントン一味とディープステート、その傀儡(かいらい)である民主党が引き起こしているというシナリオへと誘導するものである。

実際に存在するペドフィリアやコメット・ピンポンという材料に「ピザゲート」というファンタジーを加え、民主党の重鎮が小児の人身売買を行なっているというストーリーを読者に抱かせる。そして、民主党こそペドフィリアを嗜好する悪魔崇拝主義者(サタニスト)の集団であり、アメリカをロスチャイルド家やソロス家に売り渡すグローバリストたちの巣窟として弾劾する。

このように、Qアノンは民主党を悪魔化するシナリオを巧妙に発信しているともいえ、投稿を読む者にそのシナリオを信じ込ませてしまう力を持っているのだ。

Qアノンはトランプ陣営のキャンペーンだろうか

ここで再び、問わねばならないだろう。

Qアノンとは一体、何者なのか?

第一章で述べたように、Qアノンは単なる陰謀系のオタクによる悪戯や妄想、あるいは白人至上主義者やカルト宗教の集団なのだろうか? あるいはポール・E・バレー陸軍退役中将が言うように、「アーミー・オブ・ノースバージニア(北バージニア陸軍)」のメンバーなのだろうか？

「4Chan」や「8Kun」などのアングラ系掲示板の管理人が仕掛けているという説もあるが、おそらくいずれも違うであろう。

やはりトランプ政権の内部にいる人物、または集団と考えるほうが合理的である。Qアノンが発している情報には、明らかにトランプ政権内部にいないと解らないような内容が多々あるからだ。

では、Qアノンの目的とは何か？

それもやはり、トランプの岩盤支持層の支持を固めるための選挙用キャンペーンと見たほうが妥当だろう。

繰り返しになるが、トランプはアメリカ社会の幅広い層からの支持を集めて選出された大統領ではない。中東部の没落した労働者、南西部のキリスト教福音派を中核としながらも、陰謀論の世界観を信奉する白人保守層の支持を土台にして大統領になった人物である。

就任当初からトランプの支持率は常に四〇％台を推移しており、五〇％を超えることはめったになかった。最高支持率六七％、退任時でも六〇％の支持があったオバマ前大統領とは対照的だ。

しかし、四〇％台の支持率が不気味なほど安定しているともいえるのである。トランプがどんなスキャンダルを引き起こそうが、どんなにとんでもない発言をしようが、微動だにしないのだ。

事実、新型コロナウイルスへの対応を誤り、アメリカ人の感染者数と死者数が世界一になっても、GDPが大きくマイナスに落ち込んでいても、いまだ支持率は四三・四％あり（七月三一日時点）、コロナ騒動以前の二〇一九年の支持率とほとんど変わらないのである。

一方、二〇二〇年アメリカ大統領選挙の民主党候補ジョー・バイデンには、トランプのような岩盤支持層はない。現時点では支持率でバイデンが四九％とトランプを大きく上回ってはいるものの、ちょっとしたスキャンダルでも支持率は一気に下落し、強固な岩盤支持層を持つトランプに簡単に追い抜かれることになるだろう。これは二〇一六年のクリントン相手の選挙のときと同じ構図だ。

トランプにとって今回の選挙の勝利の鍵を握るのは前回同様、やはり強固な岩盤支持層の存在なのである。もし、この層がトランプを見放したら、トランプに勝ち目はないだろう。トランプが選挙に勝つためには、この層の支持をしっかりと固めるしかないのだ。

そうした状況を鑑みれば、「Qアノン現象」は非常に巧妙に仕掛けられたトランプ大統領の〝再選キャンペーン〟として捉えることが出来る。

岩盤支持層が共有している陰謀系の世界観をベースに民主党を悪魔化し、トランプこそがアメリカをグローバリストたちから国民の手に取り戻す「アメリカ第二革命」のリーダーだとして、トランプのもとに結集するよう強く呼びかける。Qアノン信奉者たちは、それこそ命懸けでトランプを支持する選挙運動を展開するに違いない。

民衆の怒りを逸らす「巧妙な装置」

アメリカでは、トランプの岩盤支持層も、またジョージ・フロイド氏の死をきっかけに全米で抗議をしている民主党系の人々も、両者ともグローバリゼーションの影響を受けて生活が不安定になり、大変なストレスを抱えている。かつての中間層は、どちらの陣営かに拘らず格差に憤り、所得の再配分を保証する社会を希求する動機を有している。

人種差別反対運動に結集しているリベラル派の多くは、民主党左派のバーニー・サンダースやエリザベス・ウォーレンの支持層と重なっており、エリート層への怒りと公正な社会の実現を直接的に要求する。

しかし、格差の苦しみを共有してしかるべきQアノン主義のトランプの岩盤支持層は、まさにアメリカの資本主義の申し子である大金持ちのトランプを自分たちの革命のリーダーとして崇め奉るのだ。本来、彼らの怒りの矛先はエリート支配層や、行き過ぎたアメリカの資本主義システムに向かうはずなのだが、Qアノンはそれを民主党と民主党を支持するリバラル派へと向かわせる。

こうしたトランプの岩盤支持層と民主党のリベラル派が敵対する構図は、アメリカの富の大半を所有するエリート層にとっては願ってもない社会状況である。民衆の怒りのエネルギーは自分たちを回避し、別の標的へと向かってくれるからだ。

その転換を成し遂げる〝装置〟の一つとしてQアノンが機能しているとすれば、Qアノンという仕掛けそのものが「巧妙に仕立てられた陰謀」だといえないだろうか。

もちろん、トランプは「アメリカ第二革命」のリーダーではない。トランプ政権の実態については、ブラジルの著名なジャーナリストであるペペ・エスコバルが政権樹立当時に書いた論評が的確だ。

ペペ・エスコバルは、ロシアの国際放送局『RT』(旧ロシア・トゥデイ)、イランの『プレスTV』、カタールの『アルジャジーラ』などの各メディアで取材記者や解説者を務めてきた人物だ。専門分野はアジア全域である。

二〇〇一年の911同時多発テロの数週間前、当時はほとんど名前の知られていなかったオサマ・ビン・ラディンをすぐに捕まえないととんでもない事態が起きると、著書に予言的な警告を書いて話題になった。

ペペ・エスコバルは、トランプ政権が成立する直前の二〇一七年一月前半、アメリカのエリート層のさらに上位にいるマスタープランナーの代理人からアプローチされたという。記事では「X氏」とされている。

X氏は、「マスタープランナーがペペ・エスコバルによるトランプ政権の分析が極めて的確だ」と評価し、「さらに具体的な情報をマスタープランナーのほうから直接流すことにする」

と伝えたという。

ペペ・エスコバルの記事によると、アメリカの軍事産業はＩＴや製造業などの最先端テクノロジーをまったく掌握できておらず、軍事産業の基盤となっているテクノロジーは既に時代遅れとなっている。軍事力を再建するためには軍事産業を再編成し、最先端テクノロジーを取り入れた生産基盤を早急に築かなければならない。

しかし、それは容易なことではない。アメリカの製造業の拠点は海外に移転してしまったからだ。軍事力を高度化するためには、生産拠点をアメリカに戻さなければならない。そのためには保護主義を採用し、海外で生産してアメリカに輸出する企業には制裁的な処置を科すことも必要である。

また、グローバリゼーションの影響でアメリカの労働者は没落し、大変な格差が生まれた。アメリカの国力の維持にとっては大きな不安要素である。一つの家族が稼ぎ手の世帯主の収入だけで十分豊かに暮らせるかつてのアメリカを取り戻してこそ、社会は基礎から安定する。それは国家の安全保障にとって非常に重要なことだ。

また、アマゾンやグーグルなど最先端のＩＴ企業は、効率的な配送サービスやデータ解析を運用するビジネスに過ぎず、国家の安全保障に寄与するところはほとんどない。

したがって、製造業の国内回帰を進展させ、軍事産業を強化し、それに必要となる国内のインフラを整備することによって中間層を再建しなければならないのだ。

以上が、ぺぺ・エステバルの記事で明らかになったトランプ政権のアジェンダである。

要するにトランプ政権の本当の目的は、アメリカの軍事力の強化と世界覇権の維持なのだ。トランプ政権は反エリートで、多極化を容認する政権などではない。当初からトランプが掲げたスローガン「アメリカを再び偉大な国にする（Make America great again）」の真意は、実はそういうことだったのだろう。

となれば、トランプはエリートたちから国民の手にアメリカを取り戻すために立ち上がったのではなく、「アメリカ第二革命」の旗手でもまったくないことになる。むしろ、アメリカの既存エリートたちの支配力を温存させ、引き続きアメリカの世界覇権を維持するための政権ということだ。

おそらく、ＣＩＡなどの「ディープステート」とトランプが戦っているという構図も、トランプを革命のリーダーとして持ち上げる政権側の演出だと思われる。

これまで見てきたＱアノンのフォロワーたちは、トランプの岩盤支持層として巧妙に取り込まれ、アメリカの既存エリートたちによる支配を継続するために利用されているのではないだろうか。

ジョージ・フロイド氏の死亡事件以降、アメリカでは人種差別に反対する黒人層と、若いミレニアル世代のリベラル派を中心とした抗議運動が拡大している。

一方、リベラル派に敵対し、トランプを革命のリーダーと仰ぐ白人の右派保守層も、新型コロナウイルスによる都市封鎖と行動規制の全廃を要求する抗議運動を全米で起こしている。

この二つの運動は水と油であり、両者にはそれぞれ危険な武装勢力が加わっている。リベラル派には「アンティファ」と呼ばれる極左グループがあり、トランプ支持派には「リバタリアン」や白人至上主義者の極右グループがある。

大統領選挙が近づくにつれ、両者が衝突する危険性が迫っている。トランプの岩盤支持層の中核として取り込まれたQアノン主義者にとっては、民主党とリベラル派はまさにトランプ革命によって駆逐すべき大敵だ。その敵愾心の激しさを侮ってはならない。

◉——現代アメリカで繰り返される「内乱サイクル」

意外にも、この状況を一〇年近く前に予測していた歴史学者がいる。ピーター・ターチン教授だ。コネチカット州にあるコネチカット大学で生態学、進化生物学、人類学、数学を教えている。

ターチンは生態学と進化生物学の手法、そして非線形数学という現代数学のモデルを適用し、歴史には明らかに再帰的なパターンが存在していることを発見した。

ターチンはさらに、ローマ帝国、フランス王国、明朝などの近代以前の大農業帝国には、帝国の盛衰に関わる明白なパターンが存在することを明らかにした。そのパターンは、人口数、経済成長率、労働賃金、生活水準、支配エリートの総数など、変数の組み合わせから導かれる比較的単純なパターンであった。そして同じようなパターンとサイクルが、近代的な工業国家である現代のアメリカにも適用可能だとしている。

二〇一二年、ターチンは『平和研究ジャーナル』という専門誌に「一七八〇年から二〇一〇年までの合衆国における政治的不安定性のダイナミズム」という論文を寄稿した。

ターチンは、アメリカが独立して間もない一七八〇年から二〇一〇年までの二三〇年間に、暴動や騒乱などが発生するパターンがあるのかどうかを調べた。するとアメリカでは、農業国から近代的な工業国に移行した一九世紀の後半から、約五〇年周期の「社会的不安定性」のサイクルがあることが判ったのだ。

アメリカでは、暴動や騒乱などの内乱が多発した時期がこれまでに三回ある。一八七〇年、一九二〇年、一九七〇年だ。左ページのグラフを見ると、これらの年の前後には明らかに暴力事件数が突出して多いことが判る。

ターチンによれば、人口数が増加していても高い経済成長が続き、生活水準の上昇ならびに高学歴者の雇用数が増大している限りは、社会は安定し、社会的な騒乱はめったに発生しないという。どんな人でも努力さえすれば、社会階層の上昇が期待できる状況だからだ。

しかし反対に格差が固定化され、政治や経済のシステムが一部の特権階級に独占された状況では、たとえ経済が成長していたとしても社会階層の上昇は保証されない。格差とともに社会階層が固定化されてしまう。たとえ高等教育を受けていたとしても、期待する仕事が得られな

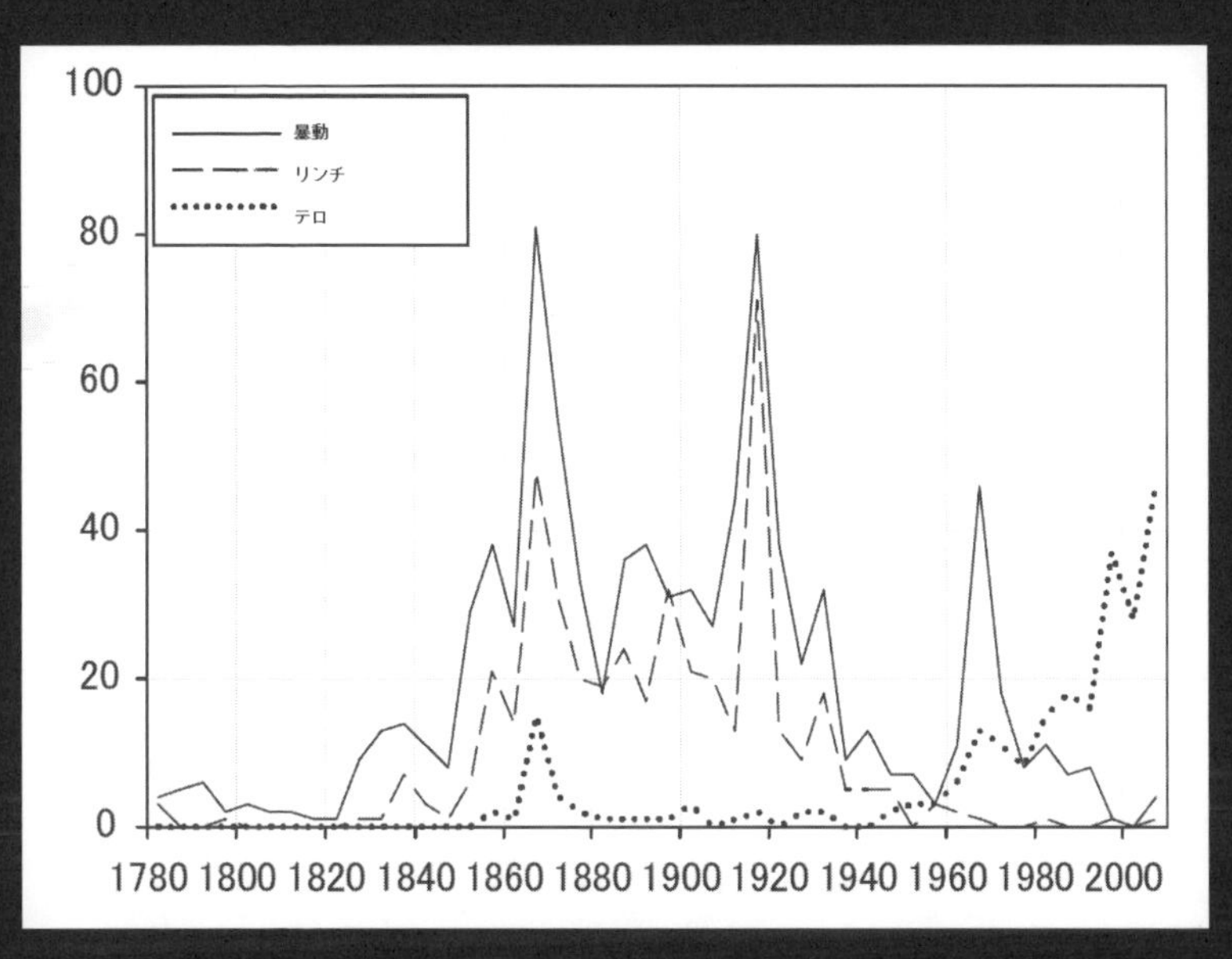

米国の５年ごとの事件発生件数。
1870年、1920年、1970年前後に暴力事件が極端に多くなっている

いのだ。

こうした状況が臨界点に達すると、社会的な暴力が爆発し、多くの騒乱や内乱が発生するというのである。

次の内乱は「二〇二〇年前後」なのだろうか

一九世紀後半以降、アメリカはこのようなサイクルを五〇年ごとに繰り返しているというが、次のサイクルがやってくるのは二〇二〇年前後となるわけだ。

まさに今なのだが、ターチンは現在のアメリカにおける格差は、前回一九七〇年の社会騒乱のときよりも遥かに巨大であるため、このまま格差が是正されないと二〇二〇年前後の騒乱も同様に予想を遥かに超えたものになると警告している。南北戦争のような分裂と分断の時期に入る可能性さえあるという。

ターチンの論文は、二〇一七年一月のトランプ政権の成立でアメリカ国内の分裂が露(あら)わになると、予測が的中したとして大変注目された。

そして、新型コロナウイルスの感染爆発(パンデミック)発生後に書かれた論文「コロナウイルスの長期的な影響」では、社会不安が爆発する危険性がさらに高まったとして、次のように述べている。

「合衆国に関する国内対立の私の予測はどちらかというと暗い。アメリカの政治エリートは自己中心的で、分断していて、いつも内輪もめが絶えない。だから私は、これから膨大な数のアメリカ国民はそれこそ、底が抜けてしまったかのような状態に陥るはずだ。一方、政府財政は破綻の危機に直面しつつ、支援は大企業に限定されるだろう。その結果、格差のさらなる拡大と政権への国民の信頼感の完全な低下、そして社会不安の激増、エリートの間の激しい闘争が起こる。そして、私が予測のために使っている構造的な人口モデルのあらゆる負の側面が、アメリカで爆発するだろう。私はこの否定的な予測が的中しないことを心から望んでいる」

ターチンは歴史学者であり、大袈裟な表現はしない。論文における表現も抑制的だ。しかし、「私が予測のために使っている構造的な人口モデルのあらゆる負の側面がアメリカで爆発する」とは、要するに〝内乱〟の発生だろう。

●最新記事「二〇二〇」のなんとも悲観的な未来予測

全米規模の抗議デモの拡大が止まらなくなってから、ターチンは六月一日に新しい記事を自身のサイトで発表した。「二〇二〇」という刺激的なタイトルで、ターチンは次のように述べている。

「二〇一〇年に、私が二〇二〇年頃にアメリカ国内で内乱が発生すると予測したのは、当時の政治情勢の分析に基づくものでは全くなかった。どの社会にも社会の復元力を損なう不安定要因が存在する。それらは、①貧困と格差、②エリートの権力闘争、③政府機関の機能不全、の三つである。これらの変数を数値化し、私は『政治ストレスインデックス（ＰＳＩ）』という指標を提案した。

二〇一〇年当時、このＰＳＩがアメリカとヨーロッパで急速に上昇しており、二〇二〇年には危険な状態になることを示していた。それが予測の根拠であった。

しかし、二〇二〇年になった今でもＰＳＩは上昇するばかりだ。下がる気配は全くない。新型コロナウイルスのパンデミックは、この上昇をさらに加速させている。ジョージ・フロイド氏が殺害される動画に怒らなかった者はいない。警察の蛮行を示すひどいビデオだが、怒りがきっかけで始まった今回の抗議デモがたとえ収まったとしても、ＰＳＩが上昇している限り、新たな出来事が契機となり、社会不安はいっそう激しくなることは間違いない」

社会的ストレスの数値であるＰＳＩが沸騰点に達しつつある現在、ジョージ・フロイド氏の事件に続いて火付け役となるのは、「アメリカ第二革命」を推し進めるＱアノン主義者と、リベラル派との暴力的な衝突になる可能性は十分にある。

そのときトランプはどうするだろうか？　おそらく全米に広がった社会不安に対処する名目

で戒厳令を発令し、憲法を停止、大統領の権限を最大限に強化するかもしれない。「独裁国家アメリカ」の誕生である。

それこそ奇想天外なファンタジーのように聞こえるかもしれないが、比較的好調な成長を続けてきた各国の経済は、新型コロナウイルスの感染爆発(パンデミック)によっていきなり急停止状態に追い込まれ、ここ数カ月はまるで歴史的に断絶した別の時代であるかのような経験を世界はしてきているのである。

●――運動の過激化を図る「ブーガルー」の出現

実際、現時点ではアメリカ国内の不安定な状態が落ち着く様子は一向に見られない(二〇二〇年八月一二日現在)。新型コロナウイルスの感染爆発は全米二三州で再拡大しており、新たな都市封鎖(ロックダウン)の必要性も叫ばれている。

特に、一日の感染者数が三〇〇〇人を超えて拡大しているフロリダ州やアリゾナ州などは、早期にロックダウンを解除して経済活動を再開した州であり、経済活動の再開が早すぎた結果、感染拡大を導いたのではないかと指摘されている。

さらにここにきて、新たなる過激な武装集団の存在が注目されるようになった。「ブーガルー(Boogaloo)」だ。既に日本でも一部報道されているのでご存じの読者もいるだろう。ブーガルーは極右の過激武装勢力で、これまでほとんど知られていなかったが、ある事件がきっかけとなり注目されるようになった。

二〇二〇年五月二九日、西部カリフォルニア州オークランドで行なわれていたジョージ・フロイド氏の殺害に抗議するデモが過激化するなか、連邦裁判所の警備職員が銃撃されて死亡。容疑者は三二歳の空軍下士官ら二人だった。

六月六日、容疑者が逮捕された際には保安官代理らと銃撃戦となり、容疑者の一人は射殺された。逃走中に強奪した車のボンネットには、自分の血で「ＢＯＯＧ」などと書かれていた。これはブーガルーのメンバーであることを示す合言葉である。

また、西部ネバダ州ラスベガスや南部サウスカロライナ州コロンビアなどでも、「ＢＬＭ（Black Lives Matter）」の抗議デモで火炎瓶を所持したり、略奪や破壊行為を起こすなどして、ブーガルーのメンバーとされる複数の男が逮捕・起訴されている。

ちなみに「ブーガルー」という名称は、二〇一四年に公開されたドキュメンタリー映画『エレクトリック・ブーガルー』から採ったものだ。この映画は、一九六七年から一九九四年に白人のヒーローが銃で敵を殺しまくるＢ級映画を専門に製作していた映画プロダクション「キャノン・フィルムズ」のドキュメンタリー作品である。

ブーガルーとはキャノン・フィルムズの映画ファンが集まって作られた組織で、アロハシャツに防弾チョッキ、自動小銃で武装しているのが特徴だ。しかし、ただの映画ファンの集いというようなものではなく、新型コロナウイルスの蔓延はエリート層がアメリカ国民を支配するために作り出したフェイクニュースだとし、警察や政府機関を襲撃して「アメリカ第二革命」を実現することを目的とする。

極左グループのアンティファもそうだが、ブーガルーにも統一した組織があるわけではない。「4Chan」や「8Kun」、「Redit」などの掲示板、フェイスブックなどのSNSに集まった共通のイデオロギーを持つ人々がブーガルーを名乗り、それぞれが任意で活動を行なうという分散型の集団である。Qアノンが最初に投稿した同じ掲示板から、それほど時を経ずして出現したことは実に興味深い。

ブーガルーのメンバーの多くは、キャノン・フィルムズの映画を観て育った世代であることから、八〇年代に青年期を送った四〇代から五〇代の白人男性が中心だと見て間違いないだろう。メンバーたちは、南北戦争のような内戦を起こし、「アメリカ第二革命」を成し遂げるという点では一致しているものの、イデオロギー的には筋金入りの白人至上主義者やネオナチの集団がいるかと思えば、BLM運動にある程度のシンパシーを感じ、BLMの抗議デモで警官を襲撃しているというグループもある。また、「リバタリアン」と呼ばれる無政府主義者のグループもある。

今、アメリカでは都市封鎖(ロックダウン)や行動規制に抗議するトランプ支持者による右派系のデモと、ジョージ・フロイド氏の死をきっかけに高まっているBLMの反人種差別の左派系のデモの二つが巻き起こっているが、極右のブーガルーはどちらのデモにも参加し、警察を襲撃するなどしてデモを破壊的な方向に誘導している。

BLMの抗議デモを破壊的な方向に誘導している勢力が、極左の社会主義者グループであるアンティファだとすれば、同じ役割を果たしている極右の集団がブーガルーということだ。

もちろん、アンティファとブーガルーは水と油の関係だ。全米各地で行なわれているBLMの抗議デモでは、ブーガルーのメンバーが武装して車に乗り込んでデモ隊に突っ込んだり、自動小銃のAR‐15を取り出してデモ隊を脅す場面なども見られている。

今後、いずれはアンティファとブーガルーが抗議デモで激しく衝突して収拾がつかなくなり、まさに内戦が本格的に発生する可能性があるかもしれない。

トランプ大統領は、抗議デモを過激に誘導しているとしてアンティファを非難しているが、トランプ支持者の極右集団ブーガルーはアンティファ以上に危険な勢力となっているのだ。

●黒幕としてのQアノンの存在理由

トランプの岩盤支持層を構成するグループには、「KKK（クー・クラックス・クラン）」をはじめ白人至上主義者やネオナチなど、社会の周辺部に追いやられて白人優越思想を唱える集団のほか、ワクチン強制接種は個人の自由に対する連邦政府の過度な介入だとする反ワクチン運動の活動家など、ありとあらゆる集団や組織がある。極右といっても様々であり、今回出現してきたブーガルーもその一つに過ぎない。

そしてそれらのグループの共通のプラットフォームとなり、いわば采配を揮っているのがQアノンなのである。「アメリカ第二革命」の旗を掲げ、トランプこそ革命の真のリーダーと喧伝するQアノンは、複数の極右集団をまとめるための結集軸として機能しているようなのだ。

この構図は、過激なイスラム原理主義組織「IS」が、様々な原理主義運動が思想的に結集できるプラットフォーム役を果たしていることと同じである。ISには、各原理主義組織の多くのメンバーたちが惹き付けられているのだ。

Qアノンが発信してきた投稿は、グローバリストたちのペドフィリアや悪魔崇拝などのおぞましい所業から、秘密宇宙プログラムのような地球外生命体が関係する壮大な陰謀まで幅広い領域に渡っている。そして中核には、トランプ大統領を主導者とする「アメリカ第二革命」へと邁進せよといったメッセージが刷り込まれている。

果たしてそれは、本当にアメリカ国民が目指すべき方向なのだろうか？「アメリカ第二革命」とは、実は今なおアメリカ国家の上層部に巣喰う支配エリートたちのアジェンダではないのか？

二〇一七年末に突如出現し、トランプを革命の旗手に祀り上げ、瞬く間に信奉者を獲得したQアノンとは、トランプ政権そのものが仕掛けたキャンペーンなのではないか。そう考えると、いきなり登場してきたブーガルーのような過激な極右集団の存在理由も理解できるし、今後も似たような組織がどんどん現われてくる可能性がある。

「Qアノン現象」に始まる「大覚醒」運動とは、支配エリートたちが仕組んだアジェンダの一部であると見て間違いないように思う。

したがって、私たちが気づくべき〝真実〟とは、Qアノンが誘導する方向とは別のところにありそうだ。そのことに気づかないかぎり、ターチンが予測したように、私たちはアメリカ建国以来最悪の内乱を目の当たりにすることになるかもしれない。

そして、アメリカという超大国の覇権は失墜するのであろう。

一方、忘れてはならないのは、序章でも述べたようにアメリカ国内で内乱を引き起こすということ自体が、「ダボス会議」が明言している「グレート・リセット」を確実に実現するための重要な仕掛けなのかもしれない、ということである。

基本的なグレート・リセットの内容は、感染症の蔓延や国内の混乱状態を収束させることを口実として、政府が国民を徹底的に管理する高度管理社会を実現することになるだろう。それは社会主義に似た体制となる。

「アメリカ第二革命」を信奉する「Qアノン現象」と「大覚醒」運動の拡大によって、アメリカ国内では左右両派の対立と矛盾がますます大きくなる。両者の武力衝突さえ起こりかねない状況だ。

近い将来、そうした国内の混乱状態に乗じて非常事態が宣言され、憲法の停止によってアメリカ国民の権利を制限し、中央集権的な管理体制への移行が行なわれるかもしれない。

最後に、序章で紹介した外資系シンクタンクのレポートの概要を再度掲載し、本稿を終えたいと思う。

「そもそも、現在のグローバル資本主義の体制に大きな影響力を持つグローバルエリートの間には共通の認識と了解があった。それはシュワブ会長の言うように、現在のグローバル資本主義がこのまま発展し続ければ世界の体制が崩壊する可能性が大きいので、新しい体制に移行しなければならないというものである。新しい体制とは、社会主義的な高度管理社会の体制だ。

彼らは、今回の新型コロナウイルス感染症のパンデミックを絶好の機会と捉え、早ければ二〇二一年から二二年、遅くとも二〇二五年までには現在の体制を本格的にリセットするつもりなのである」

この計画の存在を実証するのは難しい。しかし、十分にあり得ることだと筆者は思う。「Qアノン」現象と「大覚醒」運動は、壮大なアジェンダのほんの一部かもしれないのである。

おわりに

本書で詳述したように、二〇二〇年五月二五日にミネソタ州ミネアポリス市で無抵抗のアフリカ系アメリカ人ジョージ・フロイド氏がミネアポリス市警の警官、デレク・ショービンに首を押さえ付けられて窒息死して以来、ポートランド市のデモは連日連夜続いている。

数百名から、ときには一〇〇〇名を超える市民がポートランド市内の連邦裁判所前に集結し、「BLM（Black Lives Matter＝黒人の命は大切だ）」のスローガンを大声で叫んでいる。

ポートランド市は左翼の「アンティファ」の発祥の地でもあり、全米で最もリベラルな都市として知られる。アフリカ系アメリカ人の人口はかなり少なく、BLMの抗議デモの参加者のほとんどは白人だ。「白人主導のBLM運動」とも称されている。

多くの抗議デモは平和的なものだが、動員された警察との小競り合いから暴走することもあり、催涙弾が撃ち込まれたり大勢の逮捕者が出たりするとあたりは騒然とする。

こうした状況がしばらく続いた後、トランプ政権は国土安全保障省（DHS）の治安部隊の導入を決めた。ガスマスクを装着し、米軍と同じように自動小銃で武装した部隊だ。連邦裁判所を守るためにマーキングのない黒いバンで乗り込み、デモに参加している人々を逮捕した。

治安部隊の撤収を要求して抗議デモは一層過激化し、民主党に所属するポートランド市長もトランプ政権に強く抗議した。

トランプは治安部隊の撤収を決めたものの、デモの勢いは衰えない。それどころか、ポートランドだけではなくワシントン州シアトル、イリノイ州シカゴのほか、既に全米四七〇〇カ所、約二六〇〇万人が参加するアメリカ史上最大の運動となっている。

七月三〇日、テキサス州オースティンではＢＬＭの抗議デモにトランプ支持者の極右が車で突っ込み自動小銃を乱射、デモに参加していた一人が殺害された。

全米で発生している騒動は程度の違いこそあれ各地で様々な問題を起こしているが、おおよそ次のようなことである。

①商店で釣銭の小銭がなくなる

抗議デモが続く南部のバージニア州などでは、商店が釣銭として使う小銭の不足が目立っている。抗議デモの暴徒化による治安の悪化と将来の経済崩壊を恐れた市民が、金属であるコインの保管を始めたからだ。この傾向は全米に拡大しており、米連銀は二二の「アメリカ・コイン・タスクフォース」を組織し、全米各地にコインの供給をし始めた。

②銃の売り切れが続出

さらに治安に不安を抱く市民は、自己防衛のために銃の取得に殺到している。在庫が底を尽き、銃不足の状態が続いている地域もある。また、初心者が地元の銃のトレーニングセンターで射撃訓練を受けようとしても予約で一杯、一〇日以上待たないと受講できないという。

③市民を守らなくなった警官

抗議のデモ隊が暴徒化し、被害を受けた住民が警察に通報しても警察は積極的に対応しなくなっている。ＢＬＭ運動が拡大してから警察は悪と不正義の温床として敵視されており、警察の活動に協力する市民がほとんどいないからだ。警察は抗議の対象なのである。今では警察も活動を控え、一部の地域では保護を求める場合、警察よりも救急車や消防車を呼んだほうがよいといわれている。

④建設業が好調

こうした状況下、比較的に好調な業界がある。建設業だ。暴徒に襲われたときの避難場所として、自宅の地下にシェルターを築く家が急速に増えているからである。シェルターの購入者は富裕層から中間層に広まりつつある。

以上、現在のアメリカの状況だが、まさに全米で本格的に治安が悪化しつつあることを示している。

日本ではあまり報道されていないが、アメリカはこのままかつての南北戦争のような内戦に突入してもおかしくないという声さえ、専門家からも出てくるようになった。

米国務省の対テロ戦争専門の元担当官で、アリゾナ州立大学とオーストラリアのニューサウスウエールズ大学の教授であるデビッド・キルキュレン博士は、今のアメリカは自分がイラク、レバノン、リビア、ソマリア、カンボジアで見てきた状況と似ていると言う。

確かにアメリカには三億丁の銃、数千億発の弾丸があり、アフガンやイラクでの都市戦争で戦闘訓練を受けた三〇〇万人の退役軍人がいる。新型コロナウイルスの影響により、アメリカの経済は大恐慌以来の落ち込みとなり、格差は一層拡大し、左派と右派に武装集団が加わって鋭く対立する現状は、いつ内戦が勃発してもおかしくない。

実際、今のアメリカは一八六一年に始まる南北戦争直前の状況を彷彿とさせるものがある。当時の北部と南部は、奴隷制をめぐってもはや妥協の余地のない対立へと突き進んでいた。アメリカは国家として再統合する力を実質的に喪失しており、それは国民の四〇％の得票で大統領に就任したトランプ政権とよく似ている。

トランプは左右の分裂を煽る発言を繰り返し、対立を乗り越えてアメリカを再統合するという気はさらさらないように見える。このままだといずれ左右両派の武装集団、警察や治安部隊との三つ巴の銃撃戦が起こる可能性がある。

しかし今回の内戦は、南北戦争のときの南部と北部というように簡単に分けることが出来ないとキルキュレン博士は考える。左右の組織が分散し、緩く結びついたネットワーク型の集団が多いので、様々な集団が全米の各地で衝突するような内戦になると予想する。

それはポートランドやシアトル、シカゴのような最も抗議デモが激しく行なわれている都市で始まるだろう。

ＢＬＭの抗議デモの隊列に対し、武装化した極右の「Ｑアノン」主義者の集団が自動小銃で銃撃する。ＢＬＭ運動に加わっている「アンティファ」系や黒人の武装集団が反撃する。そして、それを押さえようと警察や国土安全保障省の治安部隊が加わって銃撃戦となり、全米の数多くの都市へと瞬く間に拡大して手がつけられなくなるという流れだ。まさにキルキュレン博士が見てきたイラク、レバノン、リビア、ソマリア、カンボジアの内戦とよく似た情景である。

アメリカではなぜ、銃撃戦をするまでに左右が憎しみ合うのだろうか？　上官から命令される兵士ならいざ知らず、個人が自分の意志で選択できる状況であれば、人はそう容易く殺し合うことはないのではないか？　もし殺し合うとすれば、そこには相手に対する凄まじい憎しみの感情があるはずだ。

アフリカ系アメリカ人によるＢＬＭ運動が要求しているのは、民主主義の理念の徹底と刷新である。アメリカは自ら標榜する民主主義の偽善性を乗り越え、差別と抑圧に苦しんできたアフリカ系アメリカ人の人権と自由、平等が尊重されるように民主主義の体制を再構築しなければならない。

二〇二〇年七月四日のアメリカ独立記念日、ＢＬＭ運動のさなかで改めて注目された歴史的人物がいる。フレデリック・ダグラス（一八一八〜九五）だ。

ダグラスは南部メリーランド州の奴隷だった。二〇歳のころ脱走して北部に逃れ、奴隷制廃止運動の先頭に立って闘った人物である。南北戦争後、大統領のアドバイザーやハイチ領事などを務め、政治家、外交官、作家として活躍した。
一八五二年七月四日、ニューヨーク州ロチェスター市が開催するアメリカ独立記念日の式典に招待されたダグラスは、「奴隷にとって七月四日とは何か」と題する歴史に残る名演説を行なっている。以下、その一部を引用する。

「この七月四日は皆様のものですが、私のものではありません。皆様が歓喜するとき、私は嘆いています。〔中略〕アメリカの奴隷にとって、皆様の七月四日とは何でしょうか。こう言いましょう。常にその犠牲になっているひどい不正と残酷さを、一年のうちのどの日にもまして、突きつけられる日だと。奴隷にとって、皆様の祝典は偽物(まがいもの)です。皆様が大言壮語している自由は、不浄な放縦です。皆様の国家の偉大さは、膨張する虚栄です。歓喜の声は空しく、心が欠けています。専制君主の弾劾は、鉄面皮な厚かましさです。自由と平等の叫びは、空っぽの嘲り(あざけり)です。皆様の祈りや賛美歌、説教や感謝、宗教行列、儀式は、奴隷にとって単なる大言壮語・欺瞞・ごまかし・不敬・偽善でしかありません。野蛮人の国家を汚す犯罪を覆い隠す薄布です。この時点において、合衆国の人々ほど衝撃的で、血なまぐさい行為を犯している民族は、地球上どこにもいません」(『アメリカ黒人演説集』荒このみ訳、岩波文庫)

この演説は、合衆国憲法に保障された法のもとにおける人民の自由、人権、平等が白人にだけ適用されるものであり、黒人は排除されている事実を明確に述べたものである。

合衆国憲法と、それによる民主主義は偽善でしかない。黒人を人民としてのカテゴリーから排除しているからだ。アメリカの民主主義は、白人の黒人支配を合理化する政治的なツールでしかない。今のままでは、決して普遍的な原則ではない。

そのことを明確に言い切ったダグラスの演説は、ＢＬＭ運動に沸く二〇二〇年七月四日の独立記念日に全米各地で厳かに朗読され、自由、人権、平等の保障を高らかに謳うアメリカの民主主義からは、いまだにアフリカ系アメリカ人が排除されていることを訴えた。

アメリカという国家統合の原理として機能していた民主主義は基本的に偽善でしかなく、ダグラスの演説から一六八年経った今でも黒人の排除が続いている。民主主義を機能させるためには、黒人の人権と自由が尊重されるようにアメリカの社会システムが刷新されなければならない。それは至極まっとうな要求であると同時に、アメリカという国への憎しみも募る。

一方、トランプの岩盤支持層の中核である「Ｑアノン主義者」にしてみれば、ＢＬＭ運動の認識と要求は言語道断であり、トランプこそがグローバルエリートに支配されたアメリカを国民の手に取り戻す「アメリカ第二革命」のリーダーなのである。

グローバルエリートの支配から脱却し、民主主義と自由の国である本来のアメリカを取り戻せば、極端な格差や不平等も是正され、本来の国民国家としてのアメリカに戻るはずだ。

だが、その「アメリカ第二革命」を阻止しているのが、クリントン一味を中心とした民主党なのである。民主党はＢＬＭ運動に資金を提供して政治運動として育て、トランプの「アメリカ第二革命」を力ずくで阻止するつもりだ。ＢＬＭは反革命の左翼集団である。彼らと全面的に対決して勝利を収めないと「アメリカ第二革命」は成功しない。ＢＬＭ運動への憎しみと嫌悪感は大きい。

こうした左右の対立が臨界点に達し、キルキュレン博士が懸念するように全米各地で銃撃戦が散発的に起こるのは、一一月三日に行なわれる大統領選挙のときかもしれない。

現代アメリカのニューエイジを代表する社会評論家、ジョン・ホーグは最近のインタビューで次のように語った。

「トランプとバイデンの戦いは本当に接戦となり、何度も票の再集計が行なわれることになるだろう。左右が対立する、まさに内戦を思わせるような状況になるはずだ。これのもたらす混乱は計り知れない」

さて、どうだろうか？

我々は遠く日本の地から見守るほかはない。

令和二年八月一二日　　高島康司

◉著者について
高島康司（たかしま やすし）
1958年、北海道札幌市生まれ。子ども時代を日米両国で過ごす。早稲田大学卒業。在学中、アメリカ・シカゴ近郊のノックス大学に公費留学。帰国後、教育産業のコンサルティング、異文化コミュニケーションの企業研修などのかたわら、多数の著書を著わしている。世界情勢や経済に関する情勢分析には定評があり、「未来を見る！『ヤスの備忘録』連動メルマガ」（まぐまぐ大賞2019年受賞）で日本では報道されない貴重な情報を発信。毎年多くのセミナーや講演に出演し、経営・情報・教育コンサルタントとしても活躍。文化放送『くにまるジャパン極』では「世界地獄耳のヤス」として不定期に出演し、ニュース解説を提供している。

未来を見る！『ヤスの備忘録』連動メルマガ（毎週金曜日配信）
http://www.mag2.com/m/P0007731.html
https://foomii.com/00169

「ヤスの備忘録2.0」
ytaka2011.blog105.fc2.com/

Qアノン 陰謀の存在証明

〈ディープステート〉が偽装する
〈大覚醒フェイク〉

◉著者
高島康司

◉発行日
初版第1刷　2020年9月11日

◉発行者
田中亮介

◉発行所
株式会社 成甲書房

郵便番号101-0051
東京都千代田区神田神保町1-42
振替00160-9-85784
電話 03(3295)1687
E-MAIL　mail@seikoshobo.co.jp
URL　http://www.seikoshobo.co.jp

◉印刷・製本
株式会社 シナノ

Printed in Japan, 2020
ISBN978-4-88086-373-3
定価は定価カードに、
本体価はカバーに表示してあります。
乱丁・落丁がございましたら、
お手数ですが小社までお送りください。
送料小社負担にてお取り替えいたします。